POCKET
Visual Encyclopedia

Precolumbian Art
Präkolumbianische Kunst
Art précolombien
Precolumbiaanse kunst

SCALA

Contents

Inhalt

Index

Inhoudsopgave

Introduction

The great number of civilisations that developed
on the American continents before the arrival of
Europeans depends on the vast extension of the
territory. The purpose of this book is certainly not
to mention all of them, nor to provide a definitive
study of any of them. Instead, the purpose is to
provide an overview of the great variety of styles,
materials and techniques employed in the arts of
the different areas, from prehistory to the sixteenth
century, by presenting some of the most significant
works that were produced.

Although the selection dedicates more images to
the most famous of the pre-Columbian cultures
located in Mesoamerica and the Andes, it also
takes in numerous other cultures among all of
those that occupied the Americas.

The Spanish and Portuguese conquests, and later
those of the English, French and Dutch, led to an
abrupt change in the lives of the populations they
touched and, in many cases, to a more or less
sudden interruption of their culture and artistic
production. It is only thanks to archaeological
research and those few materials that were saved
from the destructive fury of the conquerors – in
some cases because they were sent to European
sovereigns as gifts – that today it is possible to
admire the splendour of these works of art and
to perceive, if only from a distance, the artistic
sensibility of the men who made them.

Einleitung

Die Ausdehnung des amerikanischen Kontinents
ermöglichte vor dem Eintreffen der Europäer
die Entwicklung einer erstaunlichen Anzahl
von Kulturen. Zweck dieses Buches ist es
weder sie alle zu nennen, noch sie eingehend
zu behandeln. Man hat vielmehr versucht, die
Vielfalt der Stile, Materialien und angewandten
Herstellungstechniken in den verschiedenen
Gebieten an Beispielen aufzuzeigen; dafür
wurden einige bedeutende, ebendort hergestellte
Gegenstände von der Prähistorie bis zum 16.Jhdt.
ausgesucht.

Obwohl die Auswahl zahlenmäßig die
bekanntesten präkolumbianischen Kulturen
Mesoamerikas und der Anden bevorzugt, hat
man doch versucht, einen breiten Überblick über
die vielen anderen, über den ganzen Kontinent
verteilten Kulturen zu schaffen.

Die spanischen, portugiesischen und später auch
die englischen, französischen und holländischen
Eroberungen haben zu einer plötzlichen
Veränderung des Lebens der Bevölkerung geführt.
Durch diesen Kontakt kam es in vielen Fällen
sogar zu einer mehr oder weniger plötzlichen
Unterbrechung des kulturellen und künstlerischen
Schaffens. Dank der archäologischen Arbeit und
des geringen Materials, das der Zerstörungswut
der Eroberer entrissen wurde – manchmal weil es
sich um Geschenke an die europäischen Herrscher
handelte – ist es heute möglich, die Herrlichkeit
dieser Gegenstände zu bestaunen. Durch sie
erfassen wir, wenn auch nur im weitesten Sinne,
die künstlerische Empfindsamkeit der Menschen,
die sie geschaffen haben.

Introduction

L'étendue du continent américain a établi que
le numéro des civilisations qui s'y développèrent
avant l'arrivée des européens est énorme. L'objectif
de ce livre n'est pas certainement celui de toutes
les mentionner, ni néanmoins celui de les traiter
de manière exhaustive. On a par contre essayé
d'exemplifier la grande variété de styles, matériels
et techniques utilisées dans la production artistique
des différentes zones, de la préhistoire au XVI siècle,
en choisissant quelques-uns parmi les objets les plus
significatifs produits.
Quoique le choix reflète numériquement la
prépondérance des cultures précolombiennes les
plus célèbres qui se sont développées dans la Méso-
Amérique et dans le monde andin, on a essayé
quoi qu'il en soit d'offrir un panorama ample sur les
autres nombreuses civilisations qui ont occupé tout
le continent.
Les conquêtes espagnoles, portugaises et
successivement anglaises, françaises et hollandaises
portèrent à un changement rapide dans la vie des
populations qui entrèrent en contact et dans de
nombreux cas à une interruption plus ou moins
soudaine de leur production culturelle et artistique.
Grâce aux travaux archéologiques et à quelques
matériels qui furent soustraits à la fureur destructrice
des conquérants - qu'ils avaient envoyés comme
cadeaux aux souverains européens- aujourd'hui il est
possible d'admirer la splendeur de telles productions
et de percevoir, très lointainement, la sensibilité
artistique des hommes qui les réalisèrent.

Introductie

De uitbreiding van het Amerikaanse continent
zorgde ervoor dat het aantal beschavingen dat zich
ontwikkelde voor de komst van de Europeanen
enorm was. Het doel van dit boek is zeker niet om
ze allemaal te noemen, noch om ze diepgaand
te behandelen. Het is daarentegen de bedoeling
om de grote verscheidenheid van de toegepaste
stijlen, materialen en technieken in de artistieke
productie van de verschillende gebieden vanaf de
prehistorie tot aan de 16e eeuw aan te duiden,
door een selectie te maken van een aantal
van de voornaamste voorwerpen die werden
geproduceerd.
Hoewel de selectie overwegend de bekendste pre-
colombiaanse culturen weergeeft, die zich hebben
ontwikkeld in Meso-Amerika en in de Andes, is er
getracht ook een ruim panorama te bieden van
de andere talrijke beschavingen die het gehele
continent hebben bezet.
De Spaanse, Portugese en daaropvolgende Engelse,
Franse en Nederlandse veroveringen hebben geleid
tot een plotselinge verandering in het leven van
de bevolkingen met wie zij in contact kwamen en
in veel gevallen tot een in meer of mindere mate
bruuske interruptie van hun culturele en artistieke
productie. Dankzij de archeologische werken
en door de weinige voorwerpen die afhandig
werden gemaakt gedurende de verwoestende
razernij van de veroveraars – soms omdat zij als
gift voor de Europese heersers werden verstuurd
– is het vandaag de dag mogelijk de schatten van
deze producties te bewonderen en de artistieke
gevoeligheid, hoewel vanaf een afstand, van de
mensen die ze hebben verwezenlijkt te begrijpen.

North America

Before the colonial era the deserts, mountains, plains, forests and the great river basins of North America were inhabited by heterogeneous native peoples that included small tribes of hunter-gatherers as well as great agricultural civilizations. Today the vast settlements of crude bricks in the Southwest or the great earth mounds in the Eastern Forests stand to witness the complex social, political and cultural structures of the ancient North American peoples.

Nordamerika

In der präkolonialen Epoche waren Wüsten, Berge, Ebenen, Wälder und die großen Flussbecken Nordamerikas von unterschiedlichen eingeborenen Völkern, von kleinen Gemeinschaften von Jägern und Sammlern, aber auch von bedeutenden Kulturen bewohnt, die Ackerbau betrieben. Die großartigen Lehmsiedlungen im Südwesten oder die eindrucksvollen Erdhügel in den Wäldern im Osten sind heute ein Zeugnis der sozialen, politischen und kulturellen Komplexität der antiken nordamerikanischen Völker.

1

Amérique du Nord

À l'époque pré-coloniale, les déserts, les montagnes, les plaines, les forêts et les immenses bassins fluviaux de l'Amérique du Nord ont été habités par des populations indigènes variées, petites bandes de chasseurs-cueilleurs, mais aussi grandes cultures agraires. Les vastes établissements en terre pilée du Sud-Ouest et les imposants tertres artificiels des Forêts orientales témoignent aujourd'hui de la complexité culturelle, politique et sociale des anciennes populations nord-américaines.

Noord-Amerika

In het prekoloniale tijdperk werden de woestijnen, bergen, bossen en de indrukwekkende rivierbekken van Noord-Amerika bewoond door de heterogene oorspronkelijke bevolkingen; kleine groepen jager-verzamelaars, maar ook grote landbouwbeschavingen. De omvangrijke nederzettingen op de ruwe grond van het zuidwesten of de indrukwekkende heuvels van aarde van de Oostelijke Wouden zijn vandaag de dag getuigenissen van de sociale, politieke en culturele complextiteit van de oude Noord-Amerikaanse volkeren.

Cultures of North America
Die Kulturen Nordamerikas
Cultures de l'Amérique du Nord
De culturen van Noord-Amerika

PUEBLO BONITO

SPIRO

CLIFF-PALACE

WHITE HOUSE RUIN

GILA CLIFF DWELLINGS

PAQUIMÉ

MOUNDVILLE

MOUND CITY SITE

SERPENT MOUND

CAHOKIA

ETOWAH

- Hopewell
- Anasazi
- Mimbres Mogollon
- ○ Casas Grandes
- Mississippian culture / Mississippi-Kultur / Culture Mississippienne

Cultures of North America

Hopewell: a culture that developed in the valleys of the Ohio and Mississippi rivers between 200 BC and 400 AD. The most typical artistic expressions are the earth mounds, often in the form of animals, the objects made of sheet mica and the wonderful zoomorphic steatite pipes.

Ancestral Puebloan: a culture that developed in the Four Corners area of the United States between 700 and 1300, and reached its apex between 1050 and 1150 in the area of Chaco Canyon (New Mexico, USA). These peoples are believed to be the ancestors of historical Puebloans.

Mogollon: a culture that developed in southern New Mexico between 700 and 1400. Mogollon peoples later joined with Ancestral Puebloans to form the modern Puebloans. In the Mimbres region of southwestern New Mexico, the local Mogollon groups produced a typical type of white ceramic with fine black decorations between 1000 and 1130.

Casas Grandes: a culture that flourished between 700 and 1500 between northern Mexico and Arizona, centred principally at the archaeological site of Paquimé (Chihuahua, Mexico), which had significant trading relationships with the areas of the southwestern USA and Mesoamerica.

Mississippian: a culture that flourished in the region of the Mississippi between 700 and 1500. The important cities of Cahokia (Illinois) and Moundville (Alabama) were characterised by the presence of great pyramidal earth mounds.

Die Kulturen Nordamerikas

Hopewell: die Kultur entwickelte sich um die Becken von Ohio und Mississippi zwischen 200 v. Chr. und 400 n. Chr. Typisch sind die oft zoomorphen Grabhügel (*mounds*), die Gegenstände aus Glimmerschichten und die herrlichen zoomorphen Pfeifen aus Steatit.

Anasazi, oder Ancestral Puebloans: die Kultur entwickelt sich 700 - 1300 n. Ch. auf dem Gebiet der Four Corners in den Vereinigten Staaten; ihre Hochblüte war 1050 -1150 n. Ch. in Chaco Canyon (Neu Mexiko, USA). Wahrscheinlich sind sie die Vorfahren der Pueblo-Indianer.

Mimbres Mogollon: die Kultur entwickelte sich 700 - 1400 n. Chr. im Süden Neu Mexikos. Zusammen mit den Anasazi gründeten sie die modernen Pueblos. In der Region Mimbres, im Südwesten Neu Mexiko, stellten 1000 – 1130 die Mogollon eine typische, weiße Keramik mit eleganten schwarzen Ornamenten her.

Casas Grandes: 700 - 1500 n. Chr. erblühte die Kultur zwischen Nordmexiko und Arizona, besonders um das archäologische Paquimé (Chihuahua, Mexiko), das wichtige Handelsverbindungen zum Südwesten der Vereinigten Staaten und Mesoamerika hatte.

Mississippi-Kultur: ihre Hochblüte erlebte sie 700 – 1500 n. Chr. in der Mississippi Region. Cahokia (Illinois) und Moundville (Alabama) zeichneten sich durch große, pyramidenähnliche Grabhügel aus gestampfter Erde aus.

Cultures de l'Amérique du Nord

Hopewell : culture indigène traditionnelle développée dans les bassins de l'Ohio et du Mississipi, entre 200 av. J.-C. et 400 de notre ère. Les tertres ou buttes de terre [*mounds*] — souvent de formes zoomorphes — sont parmi les manifestations les plus typiques de cette culture, de même que les objets en feuille de mica et les splendides pipes zoomorphes en stéatite.

Anasazi, ou Pueblos ancestraux : culture qui s'est développée dans la région des Four Corners, aux États-Unis, entre 700 et 1300 de notre ère. Elle atteint son apogée entre 1050 et 1150, dans la région de Chaco Canyon (Nouveau-Mexique). On considère généralement que les Anasazi sont les ancêtres des Pueblos historiques.

Mimbres Mogollon : phase importante de la culture Mogollon, développée entre 700 et 1400 de notre ère dans le sud du Nouveau-Mexique. Les populations d'origine Mogollon s'unirent ensuite à celles d'Anasazi pour former les modernes Pueblos. Dans la région éponyme de Mimbres, au sud-ouest du Nouveau-Mexique, les groupes Mogollon locaux ont produit, entre 1000 et 1300, une céramique blanche typique ornée de décors raffinés en noir.

Casas Grandes : cette culture prospéra entre 700 et 1500 de notre ère, entre le Nord du Mexique et l'Arizona, le centre étant le site archéologique de Paquimé (Chihuahua, Mexique). La culture de Casas Grandes entretenait d'importantes relations commerciales avec les régions du Sud-Ouest des États-Unis et de la Méso-Amérique.

Mississippienne, culture : culture indienne ayant prospéré entre 700 et 1500 de notre ère, dans le bassin du Mississippi. Les cités importantes de Cahokia (Illinois) et de Moundville (Alabama) sont caractérisées par la présence de grands tertres pyramidaux en terre pilée.

De culturen van Noord-Amerika

Hopewell: culturele traditie die zich tussen 200 v.Chr. en 400 n.Chr. ontwikkelde langs de bekken van Ohio en Mississippi. De grafheuvels (*mounds*), vaak zoömorfisch, de mica voorwerpen en de schitterende zoömorfische pijpen van speksteen gelden als de voornaamste artistieke uitingen.

Anasazi, of Pueblo Volk: cultuur die zich tussen 700 en 1300 n.Chr. in de Four Corners (Amerika) ontwikkelde en haar bloeitijd tussen 1050 en 1150 n.Chr. bereikte in het Chaco Canyon gebied (Nieuw-Mexico, USA). Er wordt aangenomen dat de Anasazi de voorouders van de Pueblo-geschiedenis zijn.

Mimbres Mogollon: cultuur die zich tussen 700 en 1400 n.Chr. ontwikkelde in het zuiden van Nieuw-Mexico. Mensen van het Mogollon volk verenigden zich vanaf dat moment met mensen van het Anasazi volk en vormden zo het moderne Pueblo. In het Mimbres-gebied, in het zuidwestelijke gedeelte van Nieuw-Mexico, produceerden het Mogollon volk tussen 1000 en 1130 typerende witte keramiekwerken met verfijnde zwarte decoraties.

Casas Grandes: cultuur die tussen 700 en 1500 n.Chr. floreerde tussen het noorden van Mexico en Arizona; voornamelijk gecentreerd in de archeologische site Paquimé (chihuahua, Mexico), die handelsrelaties onderhield met de gebieden van Zuidwest en Meso-Amerika.

Mississippi-cultuur: cultuur die floreerde tussen 700 en 1500 n.Chr. in het Mississippi-gebied. De belangrijkste steden Cahokia (Illinois) en Moundville (Alabama) werden gekenmerkt door de aanwezigheid van grote piramideachtige heuvels van aangestampte aarde.

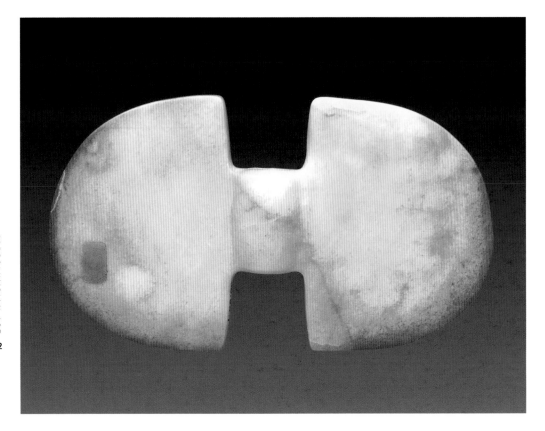

Archaic art of the Eastern forest / Archaische Kunst der orientalischen Wälder / Art archaïque des forêts orientales / Archaïsche kunst van het Eastern Forest, Iowa
Bannerstone or spear-throwing weight, pink calcite
Bannerstone, Gewicht für Schleuder, rosa Kalzit
Contrepoids pour propulseur, ou *bannerstone*, calcite rose
Gewicht voor speerwerper of *bannerstone*, roze calciet
1000-100 BC
Musée du Quai Branly, Paris

▌ *"What simplified the work of Christopher Columbus was the fact that America was there, stock-still in the middle of the ocean, waiting for someone to take the trouble, while passing by, to bump into it."*
▌ *"Was die Arbeit Christoph Columbus erleichterte, war die Tatsache, dass Amerika einfach dalag, unbeweglich mitten im Meer, und nur darauf wartete, dass jemand sich die Mühe machen würde, im Vorbeifahren daran zu stoßen."*
▌ *"Ce qui rendit plus aisée la tâche de Christophe Colomb fut que l'Amérique se trouvait là, immobile au milieu de la mer, attendant que quelqu'un se donnât la peine de s'y heurter en passant."*
▌ *"Wat de taak van Christoffel Columbus vergemakkelijkte, was het feit dat Amerika simpelweg daar was, onbeweeglijk midden op zee, wachtend totdat iemand de moeite zou nemen om er bij het passeren tegen aan te botsen."*
Georges Clemenceau

Hopewell culture / Hopewell Kunst / Art de Hopewell, Ohio
Effigy platform pipe with bowl in the form of a toad, steatite
Pfeifenbild einer Plattform mit Tasse in Form einer Kröte, Steatit
Pipe à plate-forme, avec décor de crapaud, stéatite
Pijp effigie op platform met pijpkop in de vorm van een pad, speksteen
1-400
Ohio Historical Society, Columbus, Ohio

Hopewell culture / Hopewell Kunst / Art de Hopewell, Ohio
Silhouettes of predatory bird claws, mica slab
Silhouette von Greifvogelkrallen, Glimmerplatte
Silhouettes de serres de rapace, plaque de mica
Silhouet van roofzuchtige klauwen, micaplaat
1-400
The Field Museum, Chicago, Illinois

Mississippian culture / Kunst vom Mississippi / Art mississipien / Mississippi kunst, Fort Ancient
Mound in the form of a serpent, earthworks
Erdhügel in Form einer Schlange, Erdarchitektur
Grand tumulus en forme de serpent, architecture en terre
Heuvel in de vorm van een slang, aarde-architectuur
1000-1100
Serpent Mound, Adams County, Ohio

16 **Mississippian culture / Kunst vom Mississippi / Art mississipien / Mississippi kunst, Tennessee**
Gorget with a supernatural warrior holding a mace in one hand and a skull in the other, shell
Halskrause mit einem übernatürlichen Krieger, der eine Keule und ein Trophäen-Kopf festhält, Muschel
Gorgerin décoré d'un guerrier surnaturel brandissant masse et tête trophée, coquillage
Halsstuk met bovennatuurlijke krijger, die een knots en een trofeehoofd vastgrijpt, schelp
1250-1350
National Museum of the American Indian, Washington D.C.

Mississippian culture / Kunst vom Mississippi / Art mississipien / Mississippi kunst, Georgia
Fragment of a plaque with a bird-man image, copper
Teil eines Tellers mit dem Bild des Vogelmenschen, Kupfer
Fragment de plat représentant un homme-oiseau, cuivre
Fragment van een bord met afbeelding van de Vogelman, koper
1200-1300
National Museum of Natural History, Washington D.C.

▶ **Mississippian culture / Kunst vom Mississippi / Art mississipien / Mississippi kunst, Oklahoma**
Effigy pipe with decapitation scene, steatite
Pfeife mit Enthauptungsszene, Steatit
Pipe décorée d'une scène de décapitation, stéatite
Pijp met onthoofdingsscène, speksteen
1100-1200
National Museum of the American Indian, New York

Ancestral Puebloan culture / Anasazi Kunst / Art d'Anasazi
Great House pueblo complex, stone architecture
Gebäudekomplex, genannt Grande Casa, Steinarchitekturen
Ensemble d'édifices dit « Grande Maison », architecture en pierre
Gebouwencomplex genaamd Grandes Casas, steenarchitectuur
950-1150
Pueblo Bonito, Chaco Canyon, New Mexico

▶ **Ancestral Puebloan culture / Anasazi Kunst / Art d'Anasazi**
Cliff dwellings, stone architecture
Siedlung im Schutz der Felsen, Steinarchitektur
Pueblo semi-troglodytique, architecture en pierre
Rotsnederzetting, steenarchitectuur
1100-1300
Cliff Palace, Mesa Verde, Colorado

▮ *"Strange and indescribable is the impression on the traveller, when [...] he suddenly halts on the brink of the precipice, and in the opposite cliff beholds the ruins of the Cliff Palace [...]. This ruin well deserves its name, for with its round towers and high walls rising out of the heaps of stones deep in the mysterious twilight of the cavern, and defying in the sheltered site the ravages of time, it resembles at a distance an enchanted castle."*

▮ *"Fremd und unbeschreiblich ist der Eindruck eines Reisenden, wenn [...] er plötzlich am Rande des Abgrunds zaudert und am gegenüberliegenden Felsabhang die Überreste des Cliff Palace vor sich sieht [...]. Diese Ruine verdient sich ihren Namen zurecht, denn mit ihren runden Türmen und ihren hohen Mauern, die aus den Steinhäufen heraus tief in das geheimnisvolle Zwielicht der Höhle hineinragen und dabei in dieser behüteten Stätte die Schäden der Zeit herausfordern, ähnelt sie von Weitem einem verzauberten Schloss."*

▮ *"Étrange et indescriptible est l'impression produite sur le voyageur lorsque [...] il s'arrête soudain au bord du précipice et qu'il découvre, sur la falaise d'en face, les ruines du Palais de la Falaise [...]. Cette ruine mérite bien son nom, car avec ses tours rondes et ses hautes murailles jaillissant des amas de rochers dans le mystère crépusculaire de la caverne, et défiant les outrages du temps dans ce lieu protégé, il semble bien, de loin, un château enchanté."*

▮ *"Vreemd en onbeschrijflijk is de indruk op de reiziger, wanneer [...] hij plotseling stopt op de rand van de afgrond en op de tegenoverliggende klif de ruïnes van het Cliff Palace aanschouwt [...]. Deze ruïne verdient haar naam terecht, daar ze, met haar ronde torens en hoge muren, die vanuit de stapels stenen, diep in de mysterieuze schemering van de spelonk opdoemen en in deze beschutte plaats de vernietigende werking van de tijd trotseert, vanaf een afstand een betoverd kasteel gelijkt."*

Gustaf Nordenskiold

Ancestral Puebloan culture / Anasazi Kunst / Art d'Anasazi, New Mexico
Jug with geometric decoration, painted pottery
Krug mit geometrischen Motiven, bemalte Keramik
Pot décoré de motifs géométriques, céramique peinte
Kruik met geometrische motieven, beschilderd keramiek
900-1200
Maxwell Museum of Anthropology, Albuquerque, New Mexico

Mogollon culture / Mogollon-Anasazi Kunst / Art de Mogollon-Anasazi, New Mexico
Globular vase with geometric decoration, painted pottery
Kugelförmige Vase mit geometrischen Motiven, bemalte Keramik
Vase globulaire décoré de motifs géométriques, céramique peinte
Bolvormige vaas met geometrische motieven, beschilderd keramiek
1000-1300
Maxwell Museum of Anthropology, Albuquerque, New Mexico

◀ **Ancestral Puebloan culture / Anasazi Kunst / Art d'Anasazi**
Cliff dwellings, stone architecture
Siedlung im Schutz der Felsen, Steinarchitektur
Pueblo semi-troglodytique, architecture en pierre
Rotsnederzetting, steenarchitectuur
1100-1300
White House Ruin, Canyon de Chelly, Arizona

Casas Grandes culture / Casas Grandes-Kunst / Art de Casas Grandes / Casas Grandes kunst
Group of dwellings, adobe architecture
Wohnungskomplex, Schlammarchitektur
Ensemble d'habitations, architecture en terre
Huizencomplex, modderarchitectuur
1300-1500
Paquimé, Chihuahua, Mexico

▶ **Casas Grandes culture / Casas Grandes-Kunst / Art de Casas Grandes / Casas Grandes kunst, Chihuahua, Mexico**
Vase with geometric decoration, painted pottery
Vase mit geometrischen Dekorationen, bemalte Keramik
Vase à décor géométrique, céramique peinte
Vaas met geometrische decoraties, beschilderd keramiek
1400-1500
Museo Preistorico ed Etnografico Pigorini, Roma

▶ **Casas Grandes culture / Casas Grandes-Kunst / Art de Casas Grandes / Casas Grandes kunst, Chihuahua, Mexico**
Double-mouth vase, painted pottery
Vase mit Doppelmund, bemalte Keramik
Vase à embouchure double, céramique peinte
Vaas met dubbele opening, beschilderd keramiek
1300-1500
Musée du Quai Branly, Paris

Northern and Western Mesoamerica

A series of diverse civilizations rose and fell in the semi-desert climate of northern and parts of Western Mexico, on the wooded mountains and on the lake shores of other areas in Western Mexico, until the discovery of America. The far north of this territory was inhabited by cultures that reached the level of social and political complexity of the other Mesoamerican peoples only for a few centuries, so that it is considered to be a part of this macro-cultural territory only between the second and eighth centuries of the modern era. States such as Tarasca sprang up in other areas.

Norden und Westen Mesoamerikas

In den Halbwüsten im Norden und Westen Mexikos, auf den waldbedeckten Bergen und an den Seeufern der übrigen Gegenden Westmexikos lösten sich bis zur Entdeckung Amerikas eine Reihe von Kulturen ab. Im nördlichsten Teil dieses Gebiets lebten Völker, die bloß einige Jahrhunderte lang die typische politische und soziale Komplexität der mesoamerikanischen Kulturen erreichten, sodass sie nur zwischen dem 2. und 8. Jhdt. n. Chr. als Teil dieses kulturellen Großraums gesehen wurden. Andere Gebiete waren hingegen die Wiege von Reichen wie jenes der Tarasken.

Méso-Amérique du Nord et de l'Ouest

Diverses cultures se sont succédé dans les milieux semi-désertiques du Nord et d'une partie de l'Ouest du Mexique, ainsi que dans les montagnes couvertes de forêts et sur les rives des lacs dans les autres secteurs de l'Ouest, jusqu'à l'arrivée des Espagnols. La partie la plus septentrionale de ces territoires a été habitée par des sociétés qui n'ont atteint que pour quelques siècles la complexité politique et sociale typique des populations méso-américaines : elle ne font vraiment partie de cette aire culturelle qu'entre le IIe et le VIIe siècle de notre ère. En revanche, d'autres territoires ont été le berceau de sociétés de type étatique, comme celle des Tarasques.

Noord en West Meso-Amerika

In de semi-woestijnachtige omgevingen van het noorden en in een gedeelte van het westen van Mexico, op bergen rijk aan bossen en langs de oevers van de meren van het andere gedeelte van de gebieden van het Mexicaanse westen, wisselden de verschillende culturen zich tot aan de ontdekking van Amerika af. Het noordelijkste gedeelte van dit gebied werd bewoond door samenlevingen die slechts een aantal eeuwen, tussen de II en VIII eeuw n.Chr., de politieke en sociale complexiteit van de Meso-Amerikaanse volkeren bereikten, waardoor zij worden beschouwd als onderdeel van dit culturele macrogebied. Andere gebieden werden daarentegen de bakermat van staatssamenlevingen, zoals die van de Tarasken.

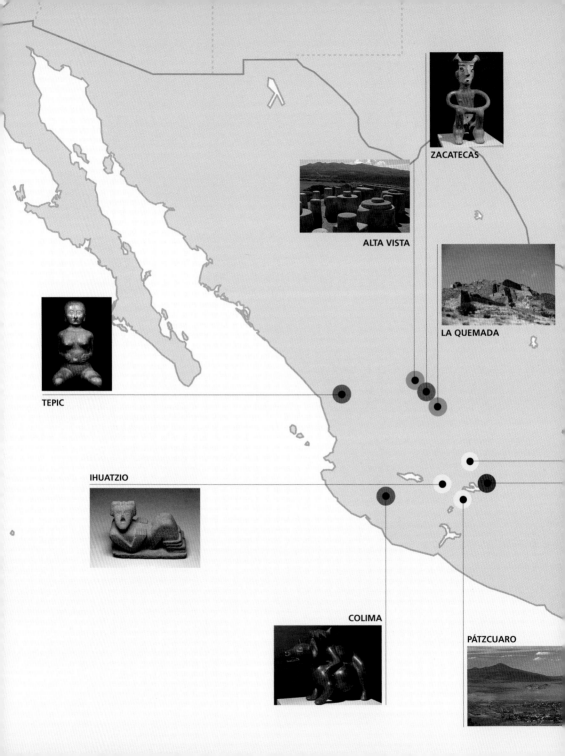

ZACATECAS

ALTA VISTA

LA QUEMADA

TEPIC

IHUATZIO

COLIMA

PÁTZCUARO

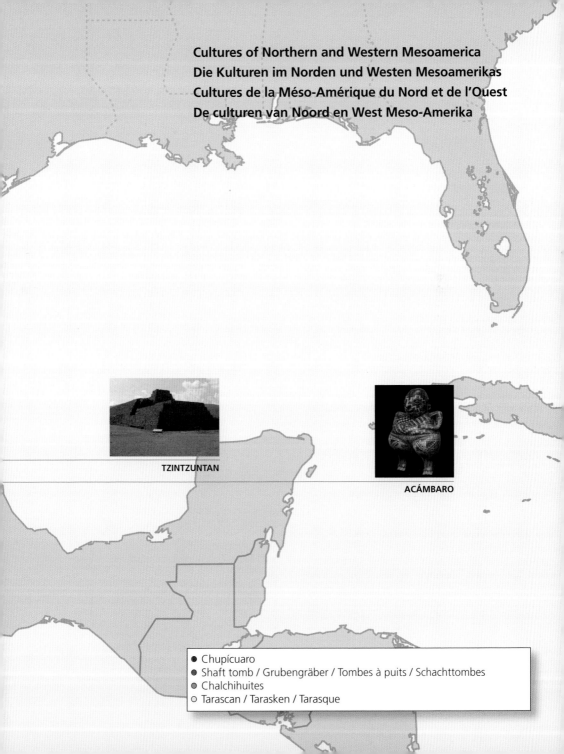

Cultures of Northern and Western Mesoamerica
Die Kulturen im Norden und Westen Mesoamerikas
Cultures de la Méso-Amérique du Nord et de l'Ouest
De culturen van Noord en West Meso-Amerika

TZINTZUNTAN

ACÁMBARO

- Chupícuaro
- Shaft tomb / Grubengräber / Tombes à puits / Schachttombes
- Chalchihuites
- ○ Tarascan / Tarasken / Tarasque

Cultures of Northern and Western Mesoamerica

Chupícuaro: a culture that grew up in Western Mesoamerica between 400 BC and 300 AD. It is famous for the ceramics found in the tombs, in particular the terracotta figures painted with geometric decorations.

Shaft tomb: this culture developed in Western Mesoamerica (the states of Nayarit, Colima, Jalisco and Michoacan) between 200 BC and 600 AD. It takes its name from the numerous tombs excavated in the rock where they buried their dead. The few remaining tombs that had not been sacked contained abundant offerings of ceramics, shells and other materials.

Chalchihuites: a culture that developed in Northern Mesoamerica after 300 AD. The use of tzompantli or skull platforms, chac-mools and colonnaded halls, characteristic of later cultures, was actually developed by this culture. It declined at different times, depending on the locations, from approximately 900 to 1300. The most important sites were Cerro de Huistle, Alta Vista and La Quemada.

Tarascan or Purépecha: a culture that developed from about the year 1200 in the territories of Western Mesoamerica and, in particular, in the region of lake Pátzcuaro. The Tarascans, organized in a federation with capitals at Tzinzunzan, Ihuatzio and Patzcuaro, were never conquered by the Aztecs and remained independent until the Spanish Conquest. They were famous for their military prowess and their knowledge of metalworking.

Die Kulturen im Norden und Westen Mesoamerikas

Chupícuaro: Kultur im westlichen Mesoamerika zwischen 400 v. Chr. und 300 n. Chr.; bekannt sind die Keramikfunde in Gräbern: bemalte Tonfiguren mit geometrischen Mustern.

Grubengräber: diese Kultur entwickelte sich zwischen 200 v. Chr. und 600 n. Chr. im westlichen Mesoamerika (Nayarit, Colima, Jalisco und Michoacan). Ihr Name stammt von der großen Anzahl von Grabkammern in Tuff, in die die Toten gelegt wurden. Die wenigen Gräber, die nicht geplündert wurden, waren reich an Beigaben aus Keramik, Muscheln und Anderem.

Chalchihuites: Kultur, die sich ab 300 n. Chr. im nördlichen Mesoamerika entwickelte. Sie verbreiteten Tzompantli (Gerüst der geopferten Schädel), Chacmool und Säulen-Säle. Der Untergang erfolgte circa 900 - 1300 n. Chr., je nach den Gebieten, in verschiedenen Epochen. Wichtig sind Cerro Huistle, Alta Vista, La Quemada.

Tarasken oder Purépecha: die Kultur entwickelte sich ab 1200 in den Gebieten des westlichen Mesoamerika, vor allem am Pátzcuaro See. Die Tarasken waren in einer Konföderation der Städte Tzinzunzan, Ihuatzio und Pazcuaro organisiert; sie unterlagen den Azteken nie und waren bis zur spanischen Eroberung unabhängig. Bekannt wurden sie für ihre Militärtalente und für die Metallverarbeitung.

Cultures de la Méso-Amérique du Nord et de l'Ouest

Chupícuaro : culture développée en Méso-Amérique occidentale entre 400 av. J.-C. et 300 de notre ère. Elle est célèbre pour les objets de céramique trouvés dans les tombes, et en particulier pour les personnages en terre cuite à décor géométrique.

Tombes à puits, culture des : cette culture se développe en Méso-Amérique occidentale — États de Nayarit, Colima, Jalisco et Michoacan — entre 200 av. J.-C. et 600 de notre ère. Elle tire son nom du grand nombre de tombes à chambre creusées dans le tuf. Les rares tombes qui n'avaient pas été pillées contenaient un riche matériel funéraire composé de céramiques, de coquillages et d'autres objets.

Chalchihuites : culture qui se développe en Méso-Amérique, à partir de 300 de notre ère. Dans son orbite se diffuse l'usage des *tzompantli* [rateliers de crânes de sacrifiés], du *chac-mool* [voir ci-dessus] et des salles à colonnades. Le déclin arrive à différentes échéances selon les lieux, entre 900 et 1300 environ. Les sites les plus importants sont Cerro Huistle, Alta Vista et La Quemada.

Tarasque ou Purépecha : culture développée à partir d'environ 1200 dans les territoires de la Méso-Amérique occidentale, en particulier dans la région du lac Pázcuaro. Les Tarasques, organisés en une confédération dont les capitales étaient Tzinzunzan, Ihuatzio et Pázcuaro, ne furent jamais assujettis par les Aztèques et gardèrent leur indépendance jusqu'à la conquête espagnole. Ils sont célèbres pour leurs talents de guerriers, mais aussi d'artisans des métaux.

De culturen van Noord en West Meso-Amerika

Chupícuaro: cultuur die zich tussen 400 v.Chr. en 300 n.Chr. ontwikkelde in West Meso-Amerika. Beroemd om de in de tombes teruggevonden keramieke voorwerpen en om de met geometrische decoraties beschilderde aardewerk figuren.

Schachttombes: deze cultuur ontwikkelde zich tussen 200 v.Chr. en 600 n.Chr. in West Meso-Amerika (de deelstaten Nayarit, Colima, Jalisco en Michoacan). Ontleent haar naam aan de grote hoeveelheid in tufsteen uitgegraven kamertombes, waarin de doden werden begraven. De weinige tombes die niet leeggeroofd waren, vertoonden overvloedige grafgiften van keramiek, schelpen en andere materialen.

Chalchihuites: cultuur die zich vanaf 300 n.Chr in Noord Meso-Amerika ontwikkelde. In deze omgeving werd het gebruik van de tzompantli (rekken met schedels van geofferden), de chac mool en de zalen met kolommen verspreid. Het verval gebeurde, afhankelijk van de gebieden, tussen 900 en 1300 n.Chr. De belangrijkste plaatsen waren Cerro de Huistle, Alta Vista en La Quemada.

Tarasken of Purépecha: cultuur die zich ongeveer vanaf 1200 ontwikkelde in de gebieden van West Meso-Amerika en met name in het gebied van het Pátzcuaro meer. De Tarasken, georganiseerd als een confederatie, met Tzinzunzan, Ihuatzio en Pazcuaro als hoofdsteden, werden nooit onderworpen door de Azteken en bleven onafhankelijk tot aan de Spaanse Verovering. Werden beroemd door de militaire vaardigheden en de capaciteit om metalen te bewerken.

Chalchihuites culture / Chalchihuites Kunst / Art de Chalchihuites
La Quemada
500-900
México

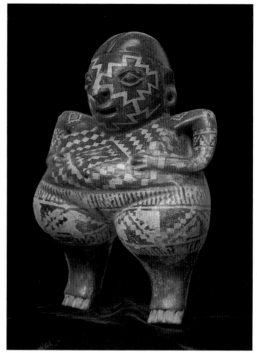

Chupícuaro culture / Chupícuaro Kunst / Art Chupícuaro
Female statuette, polychrome pottery (using clay slips)
Weibliche Figur, mehrfarbige Keramik mit Engobe
Statuette féminine, céramique polychrome à engobe
Vrouwenfiguur, polychroom keramiek met engobe
600-200 BC
Museo Preistorico ed Etnografico Pigorini, Roma

Chupícuaro culture / Chupícuaro Kunst / Art Chupícuaro
Female statuette, polychrome pottery (using clay slips)
Weibliche Figur, mehrfarbige Keramik mit Engobe
Statuette féminine, céramique polychrome à engobe
Vrouwenfiguur, polychroom keramiek met engobe
600-200 BC
Musée du Quai Branly, Paris

Shaft tomb culture / Kultur der Brunnengräber / Culture des tombes à puits / Schachttombecultuur, Colima
Vase in the form of a shell, pottery
Vase in Form einer Muschel, Keramik
Vase en forme de coquillage, céramique
Vaas in de vorm van een schelp, keramiek
100 BC-250 AD
Yale University Art Gallery, New Haven (CT)

Shaft tomb culture, Colima style / Kultur der Brunnengräber, Comala-Stil / Culture des tombes à puits, style Comala / Schachttombecultuur, Comala stijl, Colima
Mating dogs, pottery
Hundepaar, Keramik
Couple de chiens, céramique
Hondenkoppel, keramiek
300 BC-600 AD
Edward H. Merrin Gallery, New York

Shaft tomb culture / Kultur der Brunnengräber / Culture des tombes à puits / Schachttombecultuur, Zacatecas
Seated male statuette, polychrome pottery
Sitzender Mann, bemalte Keramik
Figurine d'homme assis, céramique polychrome
Zittende man, polychroom keramiek
300 BC-600 AD
Museo Nacional de Antropología e Historia, Ciudad de México

Shaft tomb culture / Kultur der Brunnengräber / Culture des tombes à puits / Schachttombecultuur, Nayarit
Female statuette, pottery
Weibliche Figur, Keramik
Statuette féminine, céramique
Vrouwenfiguur, keramiek
300-500
Museo Nacional de Antropología e Historia, Ciudad de México

Shaft tomb culture / Kultur der Brunnengräber / Culture des tombes à puits / Schachttombecultuur
Statuette of an injured man, pottery
Männliche Figur mit Abschürfungen, Keramik
Statuette masculine avec tatouages, céramique
Mannenfiguur met ontvellingen, keramiek
300-500
Museo Nacional de Antropología e Historia, Ciudad de México

Tarasca culture / Tarasca Kunst / Art tarasque / Taraskische kunst
Chac-Mool, from Ihuatzio, basalt
Chac Mo'ol, von Ihuatzio, Basalt
Chac-Mool, provenant d'Ihuatzio, basalte
Chac Mool, uit Ihuatzio, basalt
1300-1521
Musée du quai Branly, Paris

◀ **Guanajuato culture / Guanajuato Kunst / Art de Guanajuato / Guanajuato kunst**
Vase in the form of a pipe, polychrome pottery
Vase in Form einer Pfeife, bemalte Keramik
Vase en forme de pipe, céramique polychrome
Vaas in de vorm van een pijp, polychroom keramiek
850-1150
Museo Nacional de Antropología e Historia, Ciudad de México

Central Mexico

The valleys of the central Mexican highlands were home to a series of different cultures, from the earliest sedentary farmers to the great Teotihuacan, Toltec and Aztec civilizations. The Mexican Basin, a group of five interconnecting lakes, played an important role in the development of this area: an increasingly complex series of cultures developed along these shores and Tenochtitlan, the Aztec capital, rose at the centre. Cortés arrived here in 1519 and founded the capital of the New Spain colonies.

Zentralmexiko

In den Tälern des zentralmexikanischen Hochplateaus folgte eine Kultur der anderen. Hier finden wir erste sesshafte Bauern aber auch die großen Kulturen der Teotihuacan, der Tolteken und Azteken. Eine wichtige Rolle in dieser Entwicklung spielte das mexikanische Flussbecken aus fünf miteinander verbundenen Seen, an deren Ufern sich immer komplexere Kulturen entwickelten und deren Mittelpunkt Tenochtitlan war, die Hautstadt der Azteken. Hier kam 1519 Cortés an und hier entstand die Hauptstadt des kolonialen "Neuspanien".

3

Mexique central

Les vallées de l'altiplano central du Mexique ont vu se succéder différentes cultures, depuis celles des premiers agriculteurs sédentarisés jusqu'aux grandes civilisations de Teotihuacán, des Toltèques et des Aztèques. Le « bassin du Mexique » a joué un rôle important dans le développement de cette ère : il s'agit en fait d'un ensemble de cinq lacs communiquants, sur les rives desquels se sont élaborées des sociétés toujours plus complexes ; en leur centre surgit Tenochtitlán, la capitale des Aztèques. C'est là que Cortés est arrivé en 1519 et que l'on établit la capitale de la « Nouvelle-Espagne ».

Centrum van Mexico

De valleien van de Centrale Hoogvlakte van Mexico waren ooggetuigen van de opeenvolgingen van de verschillende culturen, van de eerste landbouwnederzettingen tot aan de grote beschavingen van de Teotihuacanen, Tolteken en Azteken. Het Bekken van Mexico, een geheel van vijf meren, aan wiens oevers zich steeds complexere beschavingen ontwikkelden en in wiens centrum Tenochtitlan, hoofdstad van de Azteken, opdoemde, heeft een belangrijke rol gespeeld bij de ontwikkeling van dit gebied. Hier arriveerde Cortès en hier werd de hoofdstad van het koloniale "Nieuwe Spanje" gevestigd.

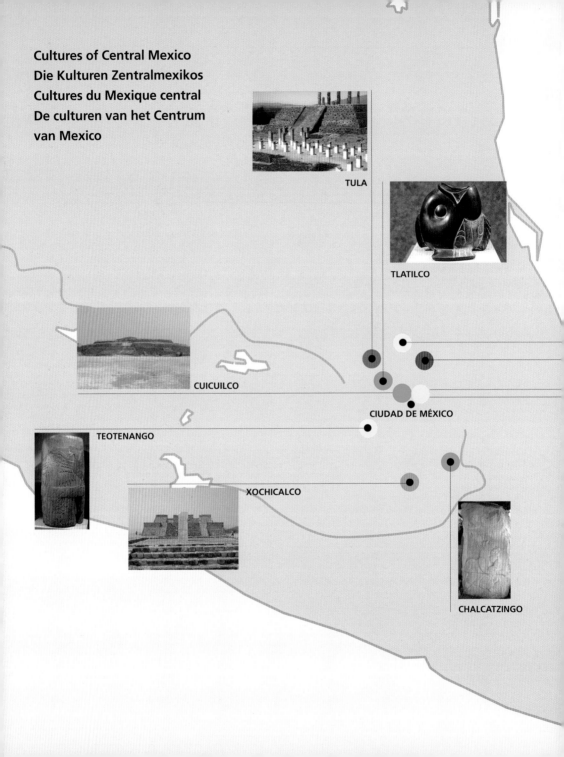

Cultures of Central Mexico
Die Kulturen Zentralmexikos
Cultures du Mexique central
**De culturen van het Centrum
van Mexico**

TULA

TLATILCO

CUICUILCO

CIUDAD DE MÉXICO

TEOTENANGO

XOCHICALCO

CHALCATZINGO

- Preclassic culture / Präklassische Kultur / Culture préclassique / Pre-Klassieke Cultuur
- Teotihuacan
- Xochicalco
- Toltec / Tolteken / Toltèque
○ Aztec / Azteken / Aztèques

SANTA CECILIA ACATITLAN

TEOTIHUACÁN

TLATELOLCO

TENOCHTITLAN

Cultures of Central Mexico

Preclassic culture: between 2500 and 1200 BC sedentary villages began to develop that later developed into regional centres. These included Tlatilco (from 1300 BC), Tlapacoya and Chalcatzingo, sites that absorbed a strong stylistic influence from the Gulf of Mexico where the Olmec culture developed from 1200 BC. From 600 BC Cuicuilco became the leading site in the Valley of Mexico, later displaced by Teotihuacan.

Teotihuacan: flourished between 100 BC and 600 AD. Favoured by its geographical position, it was the most important city of Mesoamerica for a long period of time. Its influence extended to the north, the coast, the territory of Oaxaca and to the area of the Mayas. About 550 AD the centre of the city was destroyed by a great fire and this probably marked the beginning of its decline.

Xochicalco: a city that grew up after Teotihuacan, between 600-650 and 900 AD. It was a fortified settlement at the top of a terraced hill with evident defensive characteristics. The style of Xochicalco achieved a synthesis of the styles of Teotihuacan and other areas including Oaxaca, the Gulf Coast and the Maya zone.

Toltec: this culture grew up around the city of Tula (in the state of Hidalgo) between 900 and 1150. The Toltecs were probably responsible for the diffusion of the new political and ideological system based on the formation of multiethnic politics, war and the cult of the Plumed Serpent (Quetzalcoatl). This diffusion was accompanied by an international artistic style that was shared throughout Mesoamerica.

Aztec: also known as Mexica, this culture developed from the fourteenth century until the arrival of the Spaniards. The capital city was Mexico-Tenochtitlan, today Mexico City, founded in 1325 AC. Their strong military organization enabled the Aztecs to conquer most of Central Mesoamerica.

Die Kulturen Zentralmexikos

Präklassische Kultur: 2500 - 1200 v. Chr. begannen sich Siedlungen zu entwickeln, die in den folgenden Jahrhunderten zu regionalen Zentren wurden. Darunter Tlatilco (ab1300 v. Chr.), Tlapacoya und Chalcatzingo: sie waren dem starken stilistischen Einfluss vom Golf von Mexiko ausgesetzt, wo sich ab 1200 v. Chr. die Olmekische Kultur entwickelte. Ab 600 v. Chr. wurde Cuicuilco die bedeutendste Stätte des Tals von Mexiko, wurde dann aber durch Teotihuacan ersetzt.

Teotihuacan: zwischen 100 v. Chr. und 600 n. Chr. war sie lange die wichtigste Stadt Mesoamerikas und in einer geographisch günstigen Lage. Sie weitete ihren Einfluss zur Küste im Norden aus, in das Gebiet von Oaxaca und bis zu den Maya. Wahrscheinlich leitete um 550 n. Chr. ein Großbrand im Stadtzentrum ihren Niedergang ein.

Xochicalco: die Stadt entwickelte sich nach Teotihuacanum 600/650 - 900 n. Chr. Die befestigte Siedlung auf einem Terrassenhügel weist einen klaren Verteidigungscharakter auf. Der Xochicalco Stil ist eine Synthese aus dem teotihuacanischen Stil und anderen, wie jenen von Oaxaca, der Golfküste und dem Maya Gebiet.

Tolteken: diese Kultur hatte ihren Ursprung in der Stadt Tula (Hidalgo), die sich 900- 1150 n. Chr. entwickelte. Die Tolteken waren die Protagonisten eines neuen politisch-ideologischen Systems, das auf der Bildung multiethnischer, politischer Formationen basierte, auf dem Krieg und auf dem Kult der Gefiederten Schlange (Quetzalcoatl). Ihr internationaler künstlerischer Stils wurde in ganz Mesoamerika geteilt.

Azteken: diese mexikanische Kultur entwickelte sich im 16. Jhdt. bis zum Eintreffen der Spanier. Die Hauptstadt Mexico-Tenochtitlán, das heutige Mexiko City, wurde 1325 n. Ch. gegründet. Dank eines starken Militärapparates eroberten die Azteken Gutteil des zentralen Mesoamerika.

Cultures du Mexique central

Préclassique, culture : entre 2500 et 1200 av. J.-C., des bourgades sédentaires commencèrent à se développer, qui allaient devenir des centres régionaux. Parmi eux se distinguent Tlatilco (à partir de 1300 av. J.-C.), Tlapacoya et Chalcatzingo, sites qui subirent l'influence stylistique du golfe du Mexique — où se développa la culture olmèque à partir de 1200 av. J.-C. À partir de 600 av. J.-C., Cuicuolco devint le site principal du Mexique, remplacé ensuite par Teotihuacan.
Teotihuacan : cette ville prospéra entre 100 av. J.-C. et 600 de notre ère. Construite dans une position géographique favorable, elle fut longtemps la cité la plus importante de la Méso-Amérique — étendant son influence vers le Nord, vers la côte, vers le territoire d'Oaxaca, et jusqu'aux confins de la région des Mayas. Vers 550, le centre de la ville fut ravagé par un terrible incendie qui coïncida sans doute avec le début de son déclin.
Xochicalco : cité qui s'est développée après Teotihuacan, entre 600/650 et 900. Il s'agit d'un établissement fortifié, construit au sommet d'une colline en terrasses qui présentent un caractère clairement défensif. Le style de Xochicalco réalise une synthèse entre celui de Teotihuacan et ceux des autres régions (Oaxaca, la côte du Golfe et l'aire Maya).
Toltèque : cette culture a eu comme berceau la ville de Tula (dans l'État d'Hidalgo), qui se développa entre 900 et 1150 de notre ère. Les Toltèques ont été probablement les acteurs majeurs de la diffusion d'un nouveau système politico-idéologique, axé sur la formation d'entités politiques multi-ethniques, sur la guerre et sur le culte de Quetzalcóatl. Cette diffusion s'est accompagnée de celle d'un style « international », répandu dans toute la Méso-Amérique.
Aztèques : la civilisation aztèque s'est développée du XIVe siècle à l'arrivée des Espagnols. Elle avait comme capitale Tenochtitlán — l'actuelle Mexico — fondée en 1325. Grâce à la puissance de leur appareil militaire, les Aztèques conquièrent une grande partie de la Méso-Amérique centrale.

De culturen van het Centrum van Mexico

Pre-Klassieke Cultuur: tussen 2500 en 1200 v.Chr. begonnen de sedentaire dorpen, die in de daaropvolgende eeuwen regionale centra werden, zich te ontwikkelen. Waaronder Tlatilco (vanaf 1300 v.Chr.), Tlapacoya en Chalcatzingo, sites die een grote stylistische invloed vanuit de Golf van Mexico ondergingen en van waaruit de Olmeekse cultuur zich vanaf 1200 v.Chr. ontwikkelde. Vanaf 600 v.Chr. werd eerst Cuicuilco en daarna Teotihuacan de belangrijkste site van het Dal van Mexico.
Teotihuacan: floreerde tussen 100 v.Chr. en 600 n.Chr. Met een gunstige geografische positie was het voor een lange periode de belangrijkste stad van Meso-Amerika. Breidde haar invloed uit richting het noorden, de kust en het Oaxaca gebied, totdat ze het Maya-gebied bereikte. Omstreeks 550 n.Chr. werd de stad getroffen door een grote brand, wat waarschijnlijk samenviel met het begin van haar verval.
Xochicalco: stad die zich na Teotihuacan, tussen 600/650 en 900 n.Chr. ontwikkelde. Het gaat om een gefortificeerde nederzetting, gebouwd op de top van een terrasvormige heuvel, die een duidelijke defensieve aard vertoont. De Xochicalco stijl bereikt een samenvoeging van de Teotihuacaanse stijl en die van andere gebieden als de Oaxaca, de Golfkust en het Maya-gebied.
Tolteken: deze cultuur heeft zijn wieg staan in de stad Tula (deelstaat van Hidalgo), die zich tussen 900 en 1150 n.Chr. ontwikkelde. De Tolteken waren waarschijnlijk de protagonisten bij de verspreiding van het nieuwe politieke-ideologische systeem, gebaseerd op de vorming van politieke multi-ethnische eenheden op het gebied van oorlog en van de cultus van de Gevederde Slang (Quetzalcoatl). Deze verspreiding ging samen met een internationale artistieke stijl, verdeeld over heel Meso-Amerika.
Azteken: ook bekend als Mexica, ontwikkelde deze cultuur zich vanaf de 14e eeuw tot aan de komst van de Spanjaarden. Had het in 1325 n.Chr. gestichtte Mexico-Tenochtitlan, het tegenwoordige Mexico-Stad, als hoofdstad. Dankzij een sterk militair systeem veroverden de Azteken grote delen van Centraal Meso-Amerika.

Tlatilco culture / Tlatilco Kunst / Art de Tlatilco
Vase in the form of a fish, ceramic
Zoomorphe Vase in Form eines Fisches, Keramik
Vase zoomorphe en forme de poisson, céramique
Zoömorfische vaas in de vorm van een vis, keramiek
1200-400 BC
Museo Nacional de Antropología e Historia, Ciudad de México

Tlatilco culture / Tlatilco Kunst / Art de Tlatilco
Vase in the form of an armadillo, ceramic
Zoomorphe Vase in Form eines Gürteltiers, Keramik
Vase zoomorphe en forme de tatou, céramique
Zoömorfische vaas in de vorm van een gordeldier, keramiek
1200-400 BC
Museo Nacional de Antropología e Historia, Ciudad de México

Xochipala culture / Xochipala Kunst / Art de Xochipala
Seated woman, ceramic
Sitzende Frau, Keramik
Figurine de femme assise, céramique
Zittende vrouw, keramiek
1600-100 BC
Kimbell Art Museum, Fort Worth (TX)

◀ **Artefacts from Gualupita / Gualupita Kunst / Art de Gualupita**
Human face, ceramic
Menschliches Gesicht, Keramik
Représentation de visage humain, céramique
Mensengelaat, keramiek
1200-400 BC
Museo Nacional de Antropología e Historia, Ciudad de México

**Teotihuacan culture / Teotihuacán Kunst /
Art de Teotihuacán / Teotihuacaanse kunst**
Pirámide del Sol
100-200
Teotihuacán, México

▶ **Teotihuacan culture / Teotihuacán Kunst /
Art de Teotihuacán / Teotihuacaanse kunst**
Feathered serpent, stone painted
Schlangenkopf mit Federn, Skulptur aus bemaltem Stein
Tête de serpent à plumes, pierre sculptée et peinte
Gevederde slangenkop, beschilderde steensculptuur
100-200
Pirámide de Quetzalcóatl, Teotihuacán, México

▶ **Teotihuacan culture / Teotihuacán Kunst /
Art de Teotihuacán / Teotihuacaanse kunst**
Headdress in the form of a serpent, stone painted
Kopfbedeckung in Form einer Schlange, Skulptur aus
bemaltem Stein
Couvre-chef divin en forme de serpent, pierre sculptée et peinte
Hoofddeksel in de vorm van een slang, beschilderde steensculptuur
100-200
Pirámide de Quetzalcóatl, Teotihuacán, México

▌ *"From Tamoanchan they went to the village called Teotihuacán
to make sacrifices, where they built two mountains in honour of
the Sun and the Moon. [...] It is still incredible to believe that they
were made by hand; and it is certain that they were because those
who built them were giants."*
▌ *"Von Tamoanchan aus gingen sie zum Dorf Teotihuacán, um
Opfer darzubringen. Hier errichteten sie zu Ehren der Sonne
und des Mondes zwei Hügel. (...) Und immer noch scheint es
unglaublich, dass sie von Hand aufgebaut, gleichzeitig ist aber es
so, denn Riesen waren es, die sie damals fertigten."*
▌ *"De Tamoanchan, ils allaient sacrifier au village appelé
Teotihuacán où ils élevèrent, en l'honneur du Soleil et de la Lune,
deux montagnes [...]. Et il paraît toujours presque incroyable
qu'elles aient été construites à la main ; elles le sont, assurément,
parce que ceux qui les ont élevées étaient des géants."*
▌ *"Vanuit Tamoanchan gingen ze, om te offeren, naar het dorp
Teotihuacán, waar ze ter ere van de Zon en de Maan, twee bergen
maakten. (...) En nog steeds lijkt het ongelooflijk dat ze met de
hand vervaardigd zijn; en dat is zeker zo, omdat degenen die ze
hebben gemaakt reuzen waren."*
Fray Bernardino de Sahagún

Teotihuacan culture / Teotihuacán Kunst / Art de Teotihuacán / Teotihuacaanse kunst
Vase with butterfly motifs, ceramic with champleve decoration
Vase "aux papillons", Keramik dekoriert mit *Champlevé*
Vase « aux papillons », céramique décorée
Vaas "aux papillons", keramiek gedecoreerd met *champlevé*
200-600
Musée du Quai Branly, Paris

◄ **Teotihuacan culture / Teotihuacán Kunst / Art de Teotihuacán / Teotihuacaanse kunst**
Cover of a theatre-type censer, ceramic
Deckel eines "Theater" Kohlebeckens, Keramik
Couvercle d'un brasero brûle-encens, de type « théâtre », céramique
Deksel van een kookpot, in de vorm van een tempel, keramiek
200-600
Museo Nacional de Antropología e Historia, Ciudad de México

Teotihuacan culture / Teotihuacán Kunst / Art de Teotihuacán / Teotihuacaanse kunst
Mask, stone with mosaic of shell and turquoise
Maske, Stein und Mosaik aus Muscheln und Türkisen
Masque, pierre et mosaïque de coquillages et de turquoises
Masker, steen en mozaïek van schelp en turkoois
200-600
Museo Preistorico ed Etnografico Pigorini, Roma

▶ **Teotihuacan culture / Teotihuacán Kunst / Art de Teotihuacán / Teotihuacaanse kunst**
Mask from the Templo Mayor, greenstone
Maske aus dem Großen Tempel, grüner Stein
Masque du Templo Mayor, néphrite
Masker uit de Templo Mayor, groen steen
200-600
Museo del Templo Mayor, Ciudad de México

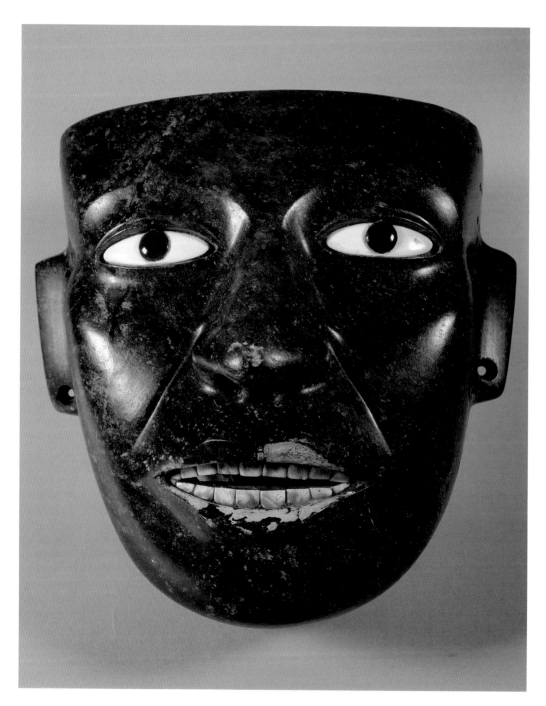

Teotihuacan culture / Teotihuacán Kunst / Art de Teotihuacán / Teotihuacaanse kunst
Fresco depicting a priest
Fresko, das einen Priester darstellt
Représentation d'un prêtre, fresque
Fresco met weergave van een priester
200-600
Museo de los Murales Teotihuacanos Beatriz de la Fuente, Teotihuacán, México

▶ **Teotihuacan culture / Teotihuacán Kunst / Art de Teotihuacán / Teotihuacaanse kunst**
Sculpture of Xipe Totec, ceramic
Darstellung des Gottes Xipe Totec, Keramik
Représentation du dieu Xipe Totec, céramique
Weergave van de god Xipe Totec, keramiek
650-900
Museo Nacional de Antropología e Historia, Ciudad de México

Xochicalco culture / Xochicalco-Kunst / Art de Xochicalco / Xochicalco kunst
Relief depicting a priest, stone
Darstellung eines Priesters, Stein
Représentation d'un prêtre, pierre
Weergave van een priester, steen
600-700
Templo de las Serpientes Emplumadas, Xochicalco

▶ **Xochicalco culture / Xochicalco-Kunst / Art de Xochicalco / Xochicalco kunst**
Stone of the four glyphs, stone
Gedenktafel mit vier Hieroglyphen, Stein
Pierre des Quatre glyphes primitifs, pierre
Gedenksteen met vier hiërogliefen, steen
Xochicalco
600/650-900
Museo Nacional de Antropología e Historia, Ciudad de México

Xochicalco culture / Xochicalco-Kunst / Art de Xochicalco / Xochicalco kunst
Censer with the image of a bat, ceramic
Kohlebecken mit Fledermausfigur, Keramik
Brûle-encens, avec chauve-souris, céramique
Kookpot met vleermuisfiguur, keramiek
600/650-900
Museo Nacional de Antropología e Historia, Ciudad de México

Xochicalco culture / Xochicalco-Kunst / Art de Xochicalco / Xochicalco kunst
Ball court marker in the form of a parrot head, stone
Markierung des Ballspielfelds in Form eines Papageienkopfs, Stein
Marqueur d'un jeu de balle, en forme de tête de perroquet, pierre
Markering van een Balspeelveld in de vorm van de kop van een papegaai, steen
600/650-900
Museo Nacional de Antropología e Historia, Ciudad de México

Toltec culture / Tolteken Kunst / Art toltèque / Tolteekse kunst
Templo de Tlahuizcalpantecuhtli
850-1150
Tula, México

▶ **Toltec culture / Tolteken Kunst / Art toltèque / Tolteekse kunst**
Templo de Tlahuizcalpantecuhtli
The "atlantes"
Blick auf die Atlanten
Atlantes
Aanzicht van de "atlanten"
850-1150
Tula, México

❚ *"Some of the sculptures have been immovable since their creation. Anchored to the ground or their pedestals, they stand fearless and motionless. They look straight ahead and do not move; they do not turn, they are unchanging. Thus appear the caryatids of Tula."*
❚ *"Einige Skulpturen waren seit deren Errichtung unmöglich zu versetzen. Verwurzelt mit der Erde und ihrem Sockel, erheben sie sich unerschrocken und unbeweglich. Sie wachen frontal und wechseln ihre Position nicht, sie drehen sich nicht um, sind unabänderlich. So erscheinen die Karyatiden von Tula."*
❚ *"Certaines sculptures n'ont pas bougé depuis leur création. Inamovibles, enracinées dans la terre ou assujetties à leur piédestal, elles se dressent, inébranlables et privées de mouvement. Ainsi apparaissent les cariatides de Tula."*
❚ *"Enkele beeldhouwwerken waren, sinds hun creatie, onverplaatsbaar. Geworteld in de grond of op hun voetstuk, verheffen zij zich onverschrokken en onbeweeglijk. Ze bewaken frontaal en veranderen niet van positie, draaien zich niet om, zijn onveranderlijk. Zo vertonen de kariatiden van Tula zich."*
Beatriz de la Fuente

Toltec culture / Tolteken Kunst / Art toltèque / Tolteekse kunst
Head of a warrior with helmet in the form of a coyote head, ceramic and mother-of-pearl mosaic
Kriegerkopf mit Helm in Form eines Coyotenkopfs, Keramik und Mosaik aus Perlmutt
Tête de guerrier coiffé d'un casque en forme de tête de coyote, céramique et mosaïque de nacre
Hoofd van een krijger met helm in de vorm van de kop van een coyote, keramiek en mozaïek van parelmoer
900-1250
Museo Nacional de Antropología e Historia, Ciudad de México

◄ **Toltec culture / Tolteken Kunst / Art toltèque / Tolteekse kunst**
Detail of a vase, ceramic
Detail einer Vase, Keramik
Détail d'un vase, cramique
Detail van een vaas, keramiek
900-1250
Museum für Völkerkunde, Wien

Aztec culture / Azteken Kunst / Art aztèque / Azteekse kunst
Head of Coyolxauhqui, stone
Kopf des Coyolxauhqui, Stein
Tête de Coyolxauhqui, pierre
Hoofd van Coyolxauhqui, steen
Templo Mayor
c. 1500
Museo Nacional de Antropología e Historia, Ciudad de México

Aztec culture / Azteken Kunst / Art aztèque / Azteekse kunst
Serpent, stone
Schlange, Stein
Serpent, pierre
Slang, steen
1325-1521
Museo Nacional de Antropología e Historia, Ciudad de México

Aztec culture / Azteken Kunst / Art aztèque / Azteekse kunst
Cuauhxicalli, recipient for the blood of sacrificial victims, in the form of an eagle, stone
Cuauhxicalli, Gefäß für die Blutsammlung der Opfer, in Form eines Adlers, Stein
Cuauhxicalli, réceptacle cérémoniel en forme d'aigle pour recueillir le sang des victimes sacrificielles, pierre
Cuauhxicalli, vat voor het opvangen van het bloed van de offerslachtoffers, in de vorm een adelaar, steen
1325-1521
Museo del Templo Mayor, Ciudad de México

◀ **Aztec culture / Azteken Kunst / Art aztèque / Azteekse kunst**
Head of Xipe Totec or of a priest wearing the skin of a sacrificial victim, stone
Kopf des Gottes Xipe Totec oder eines Priesters, bekleidet mit der Haut eines Opfers, Stein
Tête du dieu Xipe Totec ou d'un prêtre revêtu de la peau d'une victime sacrificielle, pierre
Hoofd van de god Xipe Totec of van een priester gekleed in de huid van een offerslachtoffer, steen
1325-1521
Museum für Völkerkunde, Hamburg

Aztec culture / Azteken Kunst / Art aztèque / Azteekse kunst
Cihuatéotl
Stone
Stein
Pierre
Steen
c. 1500
Museo Nacional de Antropología e Historia, Ciudad de México

Aztec culture / Azteken Kunst / Art aztèque / Azteekse kunst
Statue of Xochipilli, the god of spring and flowers, stone
Statue des Gottes Xochipilli, Gott des Frühlings und der Blumen, Stein
Statue du dieu Xochipilli, prince des Fleurs, dieu de l'Amour et de la Joie, pierre
Beeld van de god Xochipilli, god van de lente en van de bloemen, steen
c. 1500
Museo Nacional de Antropología e Historia, Ciudad de México

Aztec culture / Azteken Kunst / Art aztèque / Azteekse kunst
Rattlesnake, stone
Klapperschlange, Stein
Serpent à sonnette, pierre
Ratelslang, steen
c. 1500
Museo Nacional de Antropología e Historia, Ciudad de México

◄ **Aztec culture / Azteken Kunst / Art aztèque / Azteekse kunst**
Xipe Totec wearing the skin of a sacrificial victim, stone
Xipe Totec, bekleidet mit der Haut eines Opfers, Stein
Xipe Totec revêtu de la peau d'une victime sacrificielle, pierre
Xipe Totec gekleed in de huid van een offerslachtoffer, steen
1350-1521
Museum für Völkerkunde, Basel

Aztec culture / Azteken Kunst / Art aztèque / Azteekse kunst
Eagle warrior, ceramic
Adlerkrieger, Keramik
Guerrier-aigle, céramique
Arend-krijger, keramiek
c. 1480
Museo del Templo Mayor, Ciudad de México

▶ **Aztec culture / Azteken Kunst / Art aztèque / Azteekse kunst**
Quetzalcoatl
Stone
Stein
Pierre
Steen
1400-1521
Musée du Quai Branly, Paris

Aztec culture / Azteken Kunst / Art aztèque / Azteekse kunst
Locust, ceramic
Heuschrecke, Keramik
Sauterelle, céramique
Sprinkhaan, keramiek
c. 1500
Museo Nacional de Antropología e Historia, Ciudad de México

Aztec culture / Azteken Kunst / Art aztèque / Azteekse kunst
Tripod dish with legs in form of eagles, ceramic, painted
Dreifüßiger Keramikteller mit Stützen in Form eines Adlers, bemalte Keramik
Plat tripode avec des pieds en forme d'aigle, céramique peinte
Driepotig bord van keramiek met steunen in de vorm van een arend, beschilderd keramiek
1325-1521
Ethnologisches Museum, Staatliche Museen zu Berlin, Berlin

Aztec culture / Azteken Kunst / Art aztèque / Azteekse kunst
Ceramic dish, ceramic, painted
Keramikteller, bemalte Keramik
Plat décoré, céramique peinte
Bord van keramiek, beschilderd keramiek
1325-1521
British Museum, London

▶ **Aztec culture / Azteken Kunst / Art aztèque / Azteekse kunst**
Urn with the image of Tlaloc, the water god, polychrome ceramic, with engraved decoration
Vase mit dem Bild von Tlaloc, Wassergott, mehrfarbige Keramik mit eingravierten Dekorationen
Vase avec la représentation de Tlaloc, dieu de la Pluie, céramique polychrome à décor incisé
Vaas met een afbeelding van Tlaloc, god van het water, polychroom keramiek met gegraveerde decoraties
Templo Mayor
c. 1470
Museo del Templo Mayor, Ciudad de México

Aztec culture / Azteken Kunst / Art aztèque / Azteekse kunst
Vase with the image of a monkey, obsidian
Vase mit dem Bild eines Affen, Obsidian
Vase orné d'une représentation de singe, obsidienne
Vaas met een afbeelding van een aap, obsidiaan
1325-1521
Museo Nacional de Antropología e Historia, Ciudad de México

◀ **Aztec culture / Azteken Kunst / Art aztèque / Azteekse kunst**
Censer with the image of Tlaloc, the water god, polychrome ceramic, with engraved decoration
Kohlebecken mit dem Bild von Tlaloc, Wassergott, mehrfarbige Keramik mit eingravierten Dekorationen
Brasero brûle-encens, avec la représentation de Tlaloc, dieu de la Pluie, céramique polychrome à décor incisé
Kookpot met een afbeelding van Tlaloc, god van het water, polychroom keramiek met gegraveerde decoraties
Tula
1325-1521
Museo del Templo Mayor, Ciudad de México

Aztec-Mixtec culture / Azteken-Mixteken Kunst / Art aztèque-mixtèque / Azteekse-Mixteekse kunst
Pectoral in the form of a bicephalous serpent, mosaic of turquoise and shell mounted on wood
Pektoral in Form einer zweiköpfigen Schlange, Mosaik aus Türkisen, Muscheln auf Holz
Pectoral en forme de serpent bicéphale, mosaïque de turquoises et coquillages, sur bois
Borstplaat in de vorm van een tweekoppige slang, mozaïek van turkoois en schelpen op hout
1400-1521
British Museum, London

▶ **Aztec-Mixtec culture / Azteken-Mixteken Kunst / Art aztèque-mixtèque / Azteekse-Mixteekse kunst**
Mask of the god Tezcatlipoca, pyrite, shell and mosaic of lignite and turquoise, mounted on a human skull
Maske des Gottes Tezcatlipoca, Pyrit, Muschel und Mosaik aus Lignit und Türkise, auf menschlichem Schädel
Masque de Tezcatlipoca, pyrite, coquillages et mosaïque de lignite et de turquoises, sur un crâne humain
Masker van de god Tezcatlipoca, pyriet, schelp en mozaïek van bruinkool en turkoois, op een mensenschedel
1500-1600
British Museum, London

Aztec-Mixtec culture / Azteken-Mixteken Kunst / Art aztèque-mixtèque / Azteekse-Mixteekse kunst
Handle of a sacrificial knife, mosaic of turquoise and shell mounted on wood
Handgriff eines Opfermessers, Holz, Mosaik aus Türkisen und Muscheln
Manche d'un couteau de sacrifice, bois, mosaïque de turquoises et coquillages
Handgreep van een offermes, hout, mozaïek van turkoois en schelpen
1325-1521
Museo Preistorico ed Etnografico Pigorini, Roma

▶ **Aztec culture / Azteken Kunst / Art aztèque / Azteekse kunst**
Drum, wood
Holztrommel
Tambour de bois
Trommel van hout
Tenango del Valle
1325-1521
Museo Nacional de Antropología e Historia, Ciudad de México

Gulf of Mexico

In the regions situated between the Sierra Madre Oriental and the Gulf coast, lush with vegetation and characterised by various levels of elevation and important rivers, some of the most ancient cultures of Mesoamerica developed. The Olmec tradition, characterized by colossal sculptures and statues in green stone, was followed by different cultures in the various areas of the region, each of which had its own particular stylistic elements such as those of Veracruz Central, Totonaca and Huaxtec.

Der Golf von Mexiko

Zwischen der Sierra Madre Oriental und der Golfküste liegen in verschiedenen Höhenlagen Gebiete mit üppiger Vegetation und wichtigen Flüssen, wo sich einige der ältesten Kulturen Mesoamerikas entwickelten. Den Olmeken mit ihren typischen Kolossstatuen und grünen Steinplastiken folgten in dieser Region eine Reihe von Kulturen, jede mit charakteristischen Stilelementen, wie die von Veracruz Central, die Totonaca und die Huasteca.

Golfe du Mexique

Dans les régions situées entre la Sierra Madre orientale et la côte du golfe, couvertes d'une abondante végétation et caractérisées par des altitudes variées et par l'importance de ses fleuves, se sont développées certaines des cultures les plus anciennes de l'Amérique centrale. À la tradition olmèque marquée par une statuaire en pierre verte et des sculptures colossales, ont ainsi succédé des cultures différentes dans les diverses zones de cette région, chacune d'elles étant caractérisée par des éléments stylistiques particuliers, comme celle du Veracruz central, celle des Totonaques et celle des Huaxtèques.

Golf van Mexico

Gelegen in de gebieden tussen de Oostelijke Sierra Madre en de Golfkust, bedekt door een overvloedige vegetatie en gekenmerkt door de verschillende hoogtes en de rivieren, ontwikkelden hier zich een aantal van de oudste culturen van Meso-Amerika. In de Olmeekse traditie, gekenmerkt door kolossale beeldhouwwerken en groene stenen beelden, volgden verschillende culturen zich op in de verschillende gebieden van de regio, die allemaal gekenmerkt werden door karakteristieke stilistische elementen, zoals in Centraal Veracruz en bij de Totonaken en de Huaxteken.

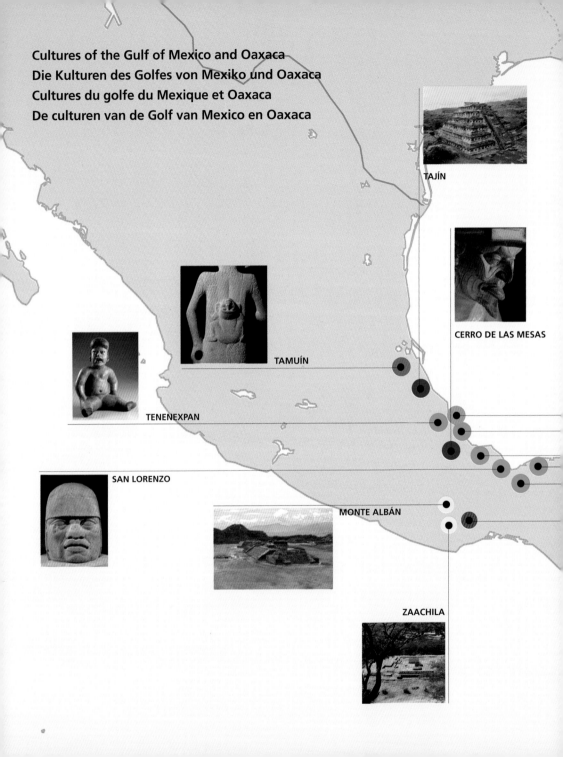

Cultures of the Gulf of Mexico and Oaxaca
Die Kulturen des Golfes von Mexiko und Oaxaca
Cultures du golfe du Mexique et Oaxaca
De culturen van de Golf van Mexico en Oaxaca

TAJÍN

CERRO DE LAS MESAS

TAMUÍN

TENENEXPAN

SAN LORENZO

MONTE ALBÁN

ZAACHILA

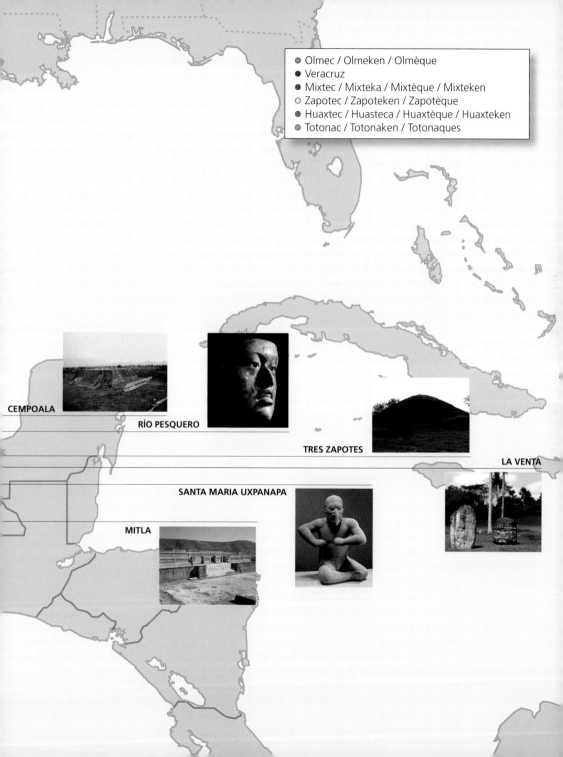

● Olmec / Olmeken / Olmèque
● Veracruz
● Mixtec / Mixteka / Mixtèque / Mixteken
○ Zapotec / Zapoteken / Zapotèque
● Huaxtec / Huasteca / Huaxtèque / Huaxteken
● Totonac / Totonaken / Totonaques

CEMPOALA

RÍO PESQUERO

TRES ZAPOTES

LA VENTA

SANTA MARIA UXPANAPA

MITLA

Cultures of the Gulf of Mexico, Oaxaca and Maya

Olmec: a culture that developed along the Gulf Coast from 900 to 400 BC among peoples of Mixe-Zoque language. Its art was characterised by representations of the jaguar, considered the symbol of political power, which became the first international Mesoamerican style. Important Olmec sites include San Lorenzo and La Venta.

Central Veracruz: a cultural area facing the Gulf of Mexico situated in the state of Veracruz. After the Epi-Olmec occupation with its principal centre at Cerro de Las Mesas between 200 and 600 AD, the most important cities of the area were Matacapan and El Tajin.

Huaxtec: a civilization that developed from the 8th-9th centuries until the arrival of the Spaniards in a region of Mexico known by the same name, situated on the Gulf coast.

Totonac: this people probably reached the Gulf coast during the 8th century AD and were still living there when the Spaniards arrived in 1519. They occupied the site of El Tajin and they also founded other cities that governed relatively limited territories such as Cempoala.

Mixtec: a culture that developed in the mountain valleys of the state of Oaxaca during the Classic period (250-600 AD) and reached its apex during the Post Classic period. Despite several attempts, it never achieved political unity. After the decline of Monte Albàn the Mixtec influence also reached the Valley of Oaxaca.

Zapotec: a culture that developed in the state of Oaxaca during the Classic period (250-600 AD). The capital was Monte Albán and after its decline other cities such as Lambitye and Zaachila prospered.

Maya: the Maya civilization lasted from the first millennium BC until the arrival of the Spaniards and occupied a vast territory that included the south of Mexico, Belize, part of Honduras and Guatemala. The political organisation was based on city-states that governed territories of various dimensions.

Die Kulturen des Golfes von Mexiko, Oaxaca und die Maya

Olmeken: Kultur, die sich 900 - 400 v. Chr. an der Golfküste aus Völkern der Mixe-zoque Sprache entwickelt hat. Charakteristisch sind die Darstellungen des verherrlichten Jaguars, der als Symbol der politischen Macht galt; wichtige Stätten dieses ersten "internationalen" mesoamerikanischen Stils waren San Lorenzo und La Venta.

Zentrales Veracruz: Kulturgebiet im mexikanischen Veracruz am Golf von Mexiko. Nach der Besetzung durch die Epi-Olmeken, deren wichtigstes Zentrum 200 - 600 n. Chr. Cerro de las Mesas war, hießen die größten Städte Matacapan und El Tajín.

Huasteca: Kultur in der gleichnamigen mexikanischen Region an der Golfküste vom 8-9. Jhdt. n. Chr. bis zum Einlangen der Spanier.

Totonaken: um das VIII Jhdt n. Chr. gelangten sie wahrscheinlich an die Golfküste und siedelten dort noch als die Spanier 1519 eintrafen. Sie besetzten die Stätte von Tajín und gründeten andere Städte, die über relativ kleine Gebiete herrschten, darunter Cempoala.

Mixteka: die Kultur in den Bergtälern von Oaxaca während der klassischen Periode (250-600 n. Chr.) erlebte ihren Höhepunkt in der Postklassik. Trotz einiger Versuche, erreichten sie nie eine politische Einheit. Nach dem Niedergang von Monte Albàn weitete sich der mixtekische Einfluss auch auf Oaxaca aus.

Zapoteken: diese Kultur entwickelte sich in Oaxaca und erreichte seine Hochblüte während der Klassischen Epoche (250-600 n.Chr.). Nach dem Untergang der Hauptstadt Monte Albán entwickelten sich andere Zentren wie Lambytieco und Zaachila.

Maya: die Maya entwickelten sich ab dem ersten Jahrtausend v. Chr. bis zum Eintreffender Spanier in einem weiten Gebiet, einschließlich Südmexiko, Belize, sowie Teilen von Honduras und Guatemala. Politisch organisierte Stadtstaaten herrschten über verschieden große Gebiete.

Cultures du golfe du Mexique, Oaxaca et Maya

Olmèque : culture développée sur la côte du golfe du Mexique, de 900 à 400 av. J.-C. environ, au sein de populations de langue mixe-zoque. Elle se caractérise par un style où dominent les représentations du jaguar, divinisé et considéré comme le symbole du pouvoir politique. Il va devenir le premier style « international » méso-américain. Les sites importants de la culture olmèque sont San Lorenzo et La Venta.

Veracruz central : aire culturelle ouvrant sur le golfe du Mexique et située dans l'État de Veracruz (Mexique). Après une occupation « épi-olmèque », entre 200 et 600 de notre ère, les villes les plus importantes de la zone sont Matacapán et El Tajín.

Huaxtèque : culture développée du VIIIe-IXe siècle à l'arrivée des Espagnols, dans la région mexicaine homonyme et située sur la côte du golfe.

Totonaques : arrivés sur la côte du golfe vers le VIIIe siècle de notre ère, les Totonaques y résidaient encore lorsque les Espagnols débarquèrent en 1519. Ils occupaient le site de Tajín et fondèrent d'autres villes qui régissaient des territoires relativement limités, comme Cempoala.

Mixtèque : culture développée dans l'État d'Oaxaca pendant la période Classique (250-600 de notre ère) et qui atteignit son apogée au Post-classique. Malgré quelques tentatives de fédération, les Mixtèques ne connurent jamais d'unité politique. Après le déclin de Monte Albàn, l'influence mixtèque s'étendit aussi à la vallée d'Oaxaca.

Zapotèque : développée dans l'État d'Oaxaca, cette culture atteint son apogée pendant la période Classique (250-600 de notre ère). Après le déclin de sa capitale Monte Albán, d'autres centres se développèrent comme Lambytieco et Zaachila.

Maya : la civilisation Maya s'est développée à partir du premier millénaire av. J.-C. jusqu'à l'arrivée des Espagnols, sur un vaste ensemble de territoires, qui comprenait la partie méridionale du Mexique, le Belize, une partie du Honduras et le Guatemala. Son organisation politique s'articulait autour de cités-États régissant des zones plus ou moins grandes.

De culturen van de Golf van Mexico, Oaxaca en de Maya's

Olmeken: cultuur die zich vanaf 900 tot ca. 400 v.Chr. aan de Golfkust onder de mixteeks-zoque sprekende volkeren ontwikkelde. Werd gekenmerkt door een stijl waarin de weergaves van de als symbool van de politieke macht beschouwde en vergoddelijkte jaguar domineerde en die de eerste "internationale" meso-Amerikaanse stijl werd. San Lorenzo en La Venta waren belangrijke sites van de Olmeekse cultuur.

Centraal-Veracruz: cultureel gebied dat zich voordoet aan de Golf van Mexico en in de deelstaat Veracruz (Mexico) ligt. Na de Epi-Olmeekse bezetting tussen 200 en 600 n.Chr., die als hoofdstad Cerro de las Mesas had, werden Matacapan en El Tajín de belangrijkste centra van het gebied.

Huaxteken: cultuur die zich vanaf de 8e tot de 9e eeuw n.Chr. ontwikkelde, totdat de Spanjaarden het aan de Golfkust gelegen Mexicaans gebied 'Huesteca' bereikten.

Totonaken: bereikten waarschijnlijk rond de 8e eeuw n.Chr. de Golfkust en verbleven daar nog toen de Spanjaarden hen in 1519 bereikten. Ze bezetten de plaats Tajín en stichtten andere steden, als Cempoala, die relatief beperkte gebieden beheerden.

Mixteken: cultuur die zich ontwikkelde in de bergvalleien van de staat Oaxaca gedurende de Klassieke periode (250-600 n.Chr.) en die zijn hoogtepunt bereikte tijdens het Post-Classicisme. Ondanks enkele pogingen tot aggregatie, heeft het nooit een politieke eenheid gehad. Na het verval van Monte Albán breidde de Mixteekse invloed zich ook uit naar de Oaxaca-vallei.

Zapoteken: zich ontwikkelend in de deelstaat Oaxaca, bereikte deze cultuur tijdens de Klassieke periode (250-600 n.Chr.) haar hoogtepunt. Na het verval van de hoofdstad Monte Albán ontwikkelde Lambytieco en Zaachila zich als centra.

Maya's: de Maya-cultuur ontwikkelde zich vanaf het 1e millenium v.Chr. tot aan de komst van de Spanjaarden over een omvangrijk gebied dat het zuidelijke gedeelte van Mexico, Belize en delen van Honduras en Guatemala besloeg. De politieke organisatie was gecentreerd in steden die kleine of grote gebieden beheerden.

Olmec culture / Olmeken Kunst / Art olmèque / Olmeekse kunst
Colossal head and stele (copies in situ)
Kolossaler Kopf und Stele. *In situ*-Kopie der Originalen
Tête colossale et stèles. Copies *in situ* des originaux
Kolossaal hoofd en stèle. Kopie *in situ* van het origineel
1000-300 BC
La Venta, México

▶ **Olmec culture / Olmeken Kunst / Art olmèque / Olmeekse kunst**
Monumento 7
Stone
Stein
Pierre
Steen
San Lorenzo Tenochtitlan
1200-1100 BC
Museo Nacional de Antropología e Historia, Ciudad de México

Olmec culture / Olmeken Kunst / Art olmèque / Olmeekse kunst
Mask, stone
Maske, Stein
Masque, pierre
Masker, steen
1000-300 BC
The Metropolitan Museum of Art, New York

▶ **Olmec culture / Olmeken Kunst / Art olmèque / Olmeekse kunst**
Human figure, stone
Menschliche Figur, Stein
Figurine d'homme, pierre
Mensenfiguur, steen
Santa María Uxpanapa
900-300 BC
Museo Nacional de Antropología e Historia, Ciudad de México

Olmec culture / Olmeken Kunst / Art olmèque / Olmeekse kunst
Seated human figure, polychrome ceramic, with white slip
Sitzende menschliche Figur, mehrfarbige Keramik mit weißer Engobe
Figure humaine assise, céramique polychrome à engobe blanc
Zittende mensenfiguur, polychroom keramiek met witte engobe
Tenenexpan, Veracruz
c. 1200-900 BC
Kimbell Art Museum, Fort Worth (TX)

◀ **Olmec culture / Olmeken Kunst / Art olmèque / Olmeekse kunst**
Human figure, stone
Menschliche Figur, Stein
Figure humaine, pierre
Mensenfiguur, steen
900-300 BC
Kimbell Art Museum, Fort Worth (TX)

Veracruz culture / Veracruz Kunst / Art de Veracruz
Pirámide de los nichos
600
Tajín, México

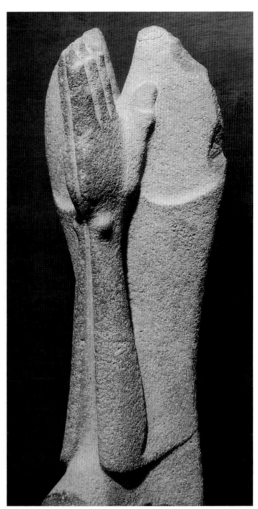

Veracruz culture / Veracruz Kunst / Art de Veracruz
Palm with the representation of a skull, stone
Palme mit Darstellung eines Schädels, Stein
« Palme », avec représentation d'un crâne, pierre
Palma met weergave van een doodshoofd, steen
600-1000
Metropolitan Museum of Art, New York

Veracruz culture / Veracruz Kunst / Art de Veracruz
Palm with a representation of hands
Palme mit der Darstellung von Händen, Stein
« Palme » ornée d'une représentation de mains, pierre
Palma met weergave van handen, Steen
300-900
Museo Nacional de Antropología e Historia, Ciudad de México

Veracruz culture / Veracruz Kunst / Art de Veracruz
"Hacha" in the form of a human head, volcanic stone
Axt, dargestellt mit menschlichem Kopf, Vulkanstein
Hache, avec la représentation d'une tête humaine, pierre volcanique
"Hacha" met weergave van een mensenhoofd, vulkanisch steen
550-750
Museum of Art, Dallas

▶ **Veracruz culture / Veracruz Kunst / Art de Veracruz**
Censer representing the god Huehuetéotl, ceramic
Räuchergefäß mit der Darstellung des Gottes Huehuetéotl, Keramik
Encensoir, avec la représentation du dieu Huehuetéotl. céramique
Wierookvat met weergave van de god Huehuetéotl, keramiek
Cerro de Las Mesas
300-900
Museo Nacional de Antropología e Historia, Ciudad de México

Central Veracruz culture / Zentralveracruz Kunst / Art de Veracruz Central / Centraal-Veracruz kunst
Female statuette, ceramic
Weibliche Figur, Keramik
Figure féminine, céramique
Vrouwenfiguur, keramiek
600-800
Museo Nacional de Antropología e Historia, Ciudad de México

◀ **Veracruz culture / Veracruz Kunst / Art de Veracruz**
"Smiling" figure, ceramic
"Lächelnde" Figur, Keramik
Figure « souriante », céramique
"Glimlachende" figuur, keramiek
600-900
Yale University Art Gallery, New Haven (CT)

The Censers
Die Räuchergefäße
Encensoirs et brûle-parfums
De wierookvaten

**Teotihuacan culture / Teotihuacán Kunst /
Art de Teotihuacán / Teotihuacaanse kunst**
Cover of a theatre-type censer
Deckel eines "Theater" Kohlebeckens
Couvercle d'un brasero brûle-encens, de type « théâtre »
Deksel van een kookpot, in de vorm van een tempel
200-600
Museo Nacional de Antropología e Historia,
Ciudad de México

Tiwanaku culture / Tiwanaku Kunst / Art de Tiwanaku
Censer with feline
Räuchergefäß mit Katze
Brûle-encens avec représentation de félin
Wierookvat met katachtige
500-900
The Metropolitan Museum of Art, New York

| 500 | 600 | 700 | 800 | 900 | 10 |

Veracruz culture / Veracruz Kunst / Art de Veracruz
Censer representing the god Huehuetéotl
Räuchergefäß mit der Darstellung des Gottes Huehuetéotl
Encensoir, avec la représentation du dieu Huehuetéotl
Wierookvat met weergave van de god Huehuetéotl
Cerro de Las Mesas
300-900
Museo Nacional de Antropología e Historia, Ciudad de México

**Xochicalco culture / Xochicalco Kunst /
Art de Xochicalco**
Censer with the image of a bat
Kohlebecken mit Fledermausfigur
Brûle-encens avec chauve-souris
Kookpot met vleermuisfiguur
600/650-900
Museo Nacional de Antropología e Historia,
Ciudad de México

Maya culture / Maya Kunst / Art maya
Censer
Räuchergefäß
Brûle-encens
Wierookvat
600-900
Museo Nacional de Antropología e Historia,
Ciudad de México

Costa Rica culture / Kunst aus Costa Rica / Art du Costa Rica /
Costaricaanse kunst
Censer with decoration in the form of an alligator
Räuchergefäß mit Alligator
Brûle-encens décoré d'un alligator
Wierookvat met alligator
800-1200
Musée du Quai Branly, Paris

1100   1200   1300   1400   1500

Maya culture / Maya Kunst / Art maya
Censer with male figure in tree position
Räuchergefäß, Figur in "Baumposition"
Brûle-encens avec personnage figuré la tête en bas
Wierookvat met man in "boom" positie
1200-1521
Museo Nacional de Antropología e Historia, Ciudad de México

Aztec art / Azteken Kunst / Art aztèque /
Azteekse kunst
Censer with the image of Tlaloc, the water god
Kohlebecken mit dem Bild von Tlaloc, Wassergott
Brasero brûle-encens, avec la représentation de
Tlaloc, dieu de la Pluie
Kookpot met een afbeelding van Tlaloc, god van
het water
1325-1521
Museo del Templo Mayor, Ciudad de México

Oaxaca

The Oaxaca territory is characterised by high mountains and valleys of varying depth. Here the so-called Central Valleys of Oaxaca were the birthplace of one of the first Mesoamerican states, the Zapotec civilization. The Mixtecs instead built their first settlements in the high mountain valleys and this is probably the reason why the Aztecs called them the "people of the clouds".

Oaxaca

Das Oaxaca Gebiet zeichnet sich durch hohe Berge mit mehr oder weniger tiefen Tälern aus. Die sogenannten zentralen Täler von Oaxaca waren die Wiege eines der ersten mesoamerikanischen Staaten, der Zapoteken. Die Mixteka hingegen bauten die ersten wichtigen Siedlungen in den intermontanen Tälern und wurden vielleicht gerade deshalb von den Azteken als "Volk der Wolken" bezeichnet.

5

Oaxaca

Le territoire d'Oaxaca est caractérisé par de hautes montagnes entrecoupées de vallées plus ou moins profondes. Les « Vallées centrales » d'Oaxaca ont été le berceau de l'un des premiers États mésoaméricains, celui des Zapotèques, autour de Monte Albán. Les Mixtèques (capitale Mitla) développèrent ensuite les premiers établissements importants dans les hautes vallées, gagnant ainsi le nom de « peuple des nuages » que leur donnaient leurs ennemis aztèques.

Oaxaca

Het Oaxacaanse gebied wordt gekenmerkt door hoge bergen, verspreid over diepe en minder diepe valleien. Hier vormden de zogeheten Centrale Valleien van Oaxaca de bakermat van één van de eerste Meso-Amerikaanse staten: die van de Zapoteken. De Mixteken bouwden daarentegen de eerste belangrijke nederzettingen in de intermontane valleien en werden daarom waarschijnlijk door de Azteken aangeduid als het "Wolkenvolk".

Zapotec culture / Zapoteken Kunst / Art zapotèque / Zapoteekse kunst
Building J
Gebäude J
Bâtiment « J »
Gebouw J
200 BC-250 AD
Monte Albán, México

Zapotec culture / Zapoteken Kunst / Art zapotèque / Zapoteekse kunst
View of the ball court
Blick auf das Ballspielfeld
« Grand jeu de balle »
Aanzicht van het Balspeelveld
200 BC-250 AD
Monte Albán, México

Zapotec culture / Zapoteken Kunst / Art zapotèque / Zapoteekse kunst
Mask in the likeness of the bat god, jade
Maske mit dem Gesicht des Fledermausgottes, Jade
Masque avec le visage du dieu chauve-souris, jade
Masker met het gelaat van de vleermuisgod, jade
Monte Albán
300-600
Museo Nacional de Antropología e Historia, Ciudad de México

◀ **Zapotec culture / Zapoteken Kunst / Art zapotèque / Zapoteekse kunst**
Urn with headdress in the form of a jaguar, ceramic
Urne mit Kopfbedeckung in Form eines Jaguars, Keramik
Urne avec couvercle en forme de jaguar, céramique
Urn met hoofddeksel in de vorm van een jaguar, keramiek
Mitla
500-600
Museo Nacional de Antropología e Historia, Ciudad de México

Mixtec culture / Mixteken Kunst / Art mixtèque / Mixteekse kunst
Palacio de las Columnas
750-900
Mitla, México

▶ **Mixtec culture / Mixteken Kunst / Art mixtèque / Mixteekse kunst**
Vase with the image of the god of death, ceramic
Vase mit der Darstellung des Todesgottes, Keramik
Vase orné d'une représentation du dieu de la Mort, céramique
Vaas met een afbeelding van de god van de dood, keramiek
Zaachila
600-900
Museo Nacional de Antropología e Historia, Ciudad de México

Mixtec culture / Mixteken Kunst / Art mixtèque / Mixteekse kunst
Vase in the form of a dear head, polychrome pottery (using clay slips)
Zoomorphes Gefäß in Form eines Hirschkopfes, mehrfarbige Keramik mit Engobe
Vase zoomorphe en forme de tête de cerf, provenant de Mitla, céramique polychrome à engobe
Zoömorfisch opvangvat in de vorm van een hertenkop, polychroom keramiek met engobe
Mitla
1000-1521
Musée du Quai Branly, Paris

▶ **Mixtec culture / Mixteken Kunst / Art mixtèque / Mixteekse kunst**
Vase, polychrome pottery
Vase, mehrfarbige Keramik
Vase, céramique polychrome
Vaas, polychroom keramiek
Mitla
1000-1521
Museo Nacional de Antropología e Historia, Ciudad de México

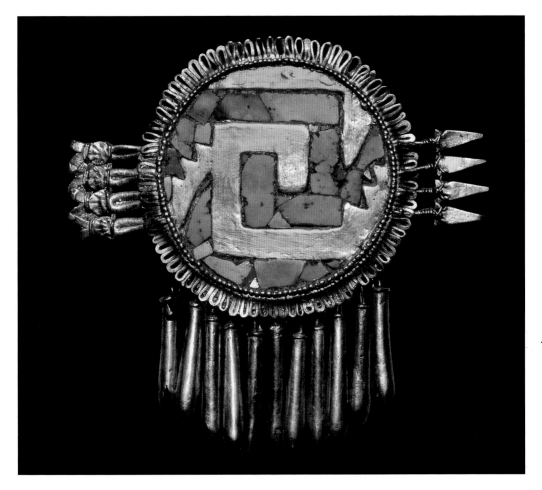

Mixtec culture / Mixteken Kunst / Art mixtèque / Mixteekse kunst
Pectoral in the form of a shield with arrows, gold with turquoise mosaic inlays
Pektoral in Form eines Schildes mit Pfeilen, Gold mit eingelegtem Türkismosaik
Pectoral en forme de bouclier avec des flèches, or et mosaïque de turquoises
Borstplaat in de vorm van een schild met pijlen, goud met turkoois ingelegd in mozaïek
Yanhuitlán, Oaxaca
1300-1521
Museo Nacional de Antropología e Historia, Ciudad de México

◄ **Mixtec culture / Mixteken Kunst / Art mixtèque / Mixteekse kunst**
Pectoral in the form of the god Xiuhtecuhtli, gold, lost wax casting
Pektoral in Form des Gottes Xiuhtecuhtli, Goldguss mit verlohrenem Wachs
Pectoral représentant le dieu du Feu, Xiuhtecuhtli, or, moulage à la cire perdue
Borstplaat in de vorm van de god Xiuhtecuhtli, goud, verloren-was-gieten
Tapantla, Veracruz
1300-1521
Museo Nacional de Antropología e Historia, Ciudad de México

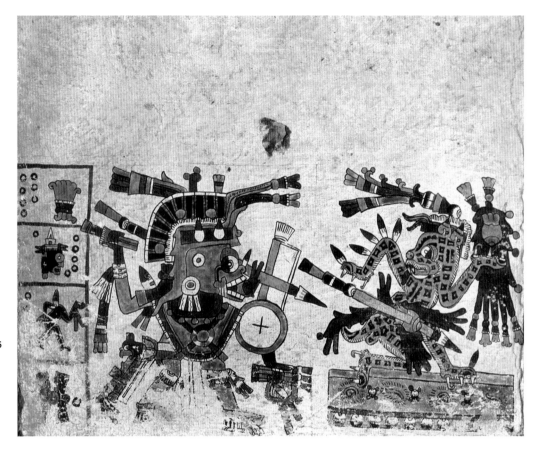

Mixtec-Puebloan culture / Mixteken-Puebla Kunst / Art mixtèque-pueblo / Mixteekse-Puebla kunst
Image from the Cospi Codex, painting, on deerskin covered with a thin layer of gesso
Bild aus dem Codex Cospi, bemalte Hirschhaut auf feiner Gipsschicht
Illustration du Codex Cospi, peau de cerf peinte sur une fine couche d'enduit
Afbeelding uit de Codex Cospi, beschilderd hertenleer op een dunne gipslaag
1350-1521
Biblioteca Universitaria, Bologna

Mixtec-Puebloan culture / Mixteken-Puebla Kunst / Art mixtèque-pueblo / Mixteekse-Puebla kunst
Image from the Fejérváry-Mayer Codex, painting, on deerskin covered with a thin layer of gesso
Bild aus dem Codex Fejervary-Mayer, bemalte Hirschhaut auf feiner Gipsschicht
Illustration du Codex Fejérváry-Mayer, peau de cerf peinte sur une fine couche d'enduit
Afbeelding uit de Codex Fejérváry-Mayer, beschilderd hertenleer op een dunne gipslaag
1350-1521
World Museum, Liverpool

The Maya Area

The Maya area is one of the vastest of
all Mesoamerica and it includes a great
variety of geographical environments:
the mountain regions of Chiapas and
Guatemala, once densely forested,
the semi-arid plains of northern
Yucatan (northern lowlands), the
plains of Petén, Belize and the south
of Campeche and Quintana Roo
(southern lowlands), crossed by great
rivers and dotted with many lakes. The
Maya civilisation as known through
archaeology flourished here with
particular characteristics in the various
regions and epochs until the arrival of
the Spaniards in 1519 and the defeat
of Tayasal (Guatemala), the last Maya
capital, in 1697.

Das Maya Gebiet

Das Gebiet der Maya gehört zu den
größten Mesoamerikas und zeichnet sich
durch seine vielfältigen geografischen
Gegebenheiten aus: die einst bewaldeten
Bergregionen von Chiapas und Guatemala,
die halbtrockenen Ebenen Nord-
Yucatans (die nördlichen Tiefebenen),
die lagunenreichen und von Strömen
gefurchten Ebenen von Petén, Belize
und im Süden jene von Campeche und
Quintana Roo (die südlichen Tiefebenen).
Hier entwickelte sich die archäologische
Mayakultur, die in verschiedenen Regionen
und Epochen besondere Eigenarten
aufwies, bis zum Eintreffen der Spanier im
Jahre 1519 und der Niederlage von Tayasal
(Guatemala), der letzten Hauptstadt der
Maya, im Jahre 1697.

L'aire Maya

L'aire des Mayas est l'une des plus
vastes de toute la Méso-Amérique.
Elle se caractérise par une grande
variété de milieux géographiques :
régions montagneuses du Chiapas et du
Guatemala, jadis recouvertes par la jungle ;
plaines semi-arides du nord du Yucatán
septentrional (ou Basses-Plaines du Nord) ;
plaines du Petén, du Belize, du sud de
Campeche et de Quintana Roo (ou Basses-
Plaines méridionales), sillonnées de grands
fleuves et riches en lagunes. C'est là que
s'est développée la civilisation maya qui a
connu bien des variantes et des vicissitudes
selon les régions et les périodes, jusqu'à
l'arrivée des Espagnols en 1519 et la ruine
de Tayasal (Guatemala), dernière capitale
maya, en 1697.

Maya-gebied

Het Maya-gebied is één van de grootste
gebieden van heel Meso-Amerika en wordt
gekenmerkt door een grote verscheidenheid
aan geografische gebieden: de bergachtige
gebieden van Chiapas en Guatemala, ooit
bedekt door een woud, de semi-droge vlaktes
van het noorden van Yucatan (Noordelijke
Laagvlaktes), de vlaktes van Petén, Belize en
van het zuiden van Campeche en Quintana
Roo (Zuidelijke Laagvlaktes), doorklieft
door grote rivieren en rijk aan lagunes. Hier
ontwikkelde de archeologische Mayacultuur
zich, die in verschillende gebieden en
in verschillende periodes opmerkelijke
kenmerken heeft verkregen, tot aan de komst
van de Spanjaarden in 1519 en tot aan de
nederlaag in 1697 van Tayasal (Guatemala), de
laatste Maya hoofdstad.

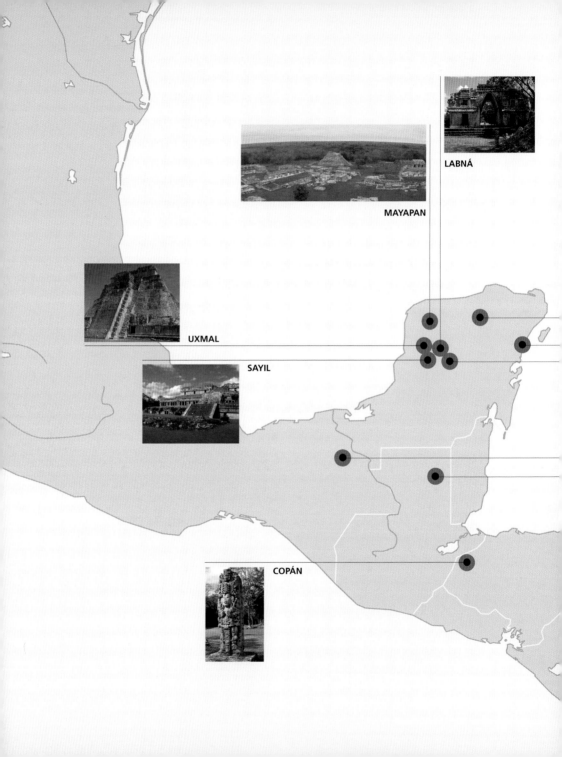

LABNÁ

MAYAPAN

UXMAL

SAYIL

COPÁN

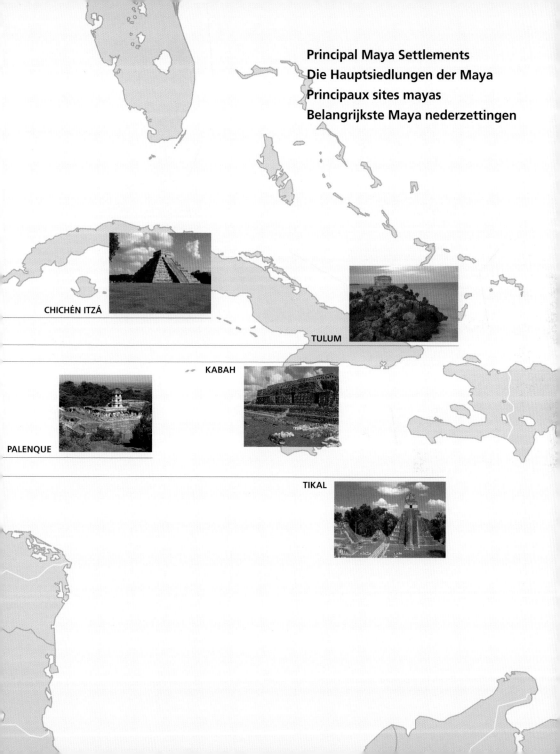

Principal Maya Settlements
Die Hauptsiedlungen der Maya
Principaux sites mayas
Belangrijkste Maya nederzettingen

CHICHÉN ITZÁ

TULUM

KABAH

PALENQUE

TIKAL

▌ *"In Yucatan there are many buildings of great beauty, which are the most famous discovery in the Indies, all in very fine masonry even though there is no metal there that could be used to form it."*
▌ *"Auf Yukatan gibt es viele außerordentlich schöne Gebäude, die das Stattlichste sind, was man in den Indien entdeckt hat, alle aus bestem Mauerwerk, ohne auch nur irgendein Metall, mit dem man meißeln könnte."*
▌ *"Il y a dans le Yucatán maints édifices de grande beauté, qui sont la chose la plus renommée que l'on ait découverte dans les Indes — tous très bien travaillés en maçonnerie, sans qu'il y ait sur place aucune sorte de métal avec lequel on puisse sculpter."*
▌ *"In Yucatan zijn veel buitengewoon mooie gebouwen, die het meest gerenommeerd zijn van de gebouwen die in de Indiën ontdekt zijn, allemaal van het beste metselwerk, zo goed bewerkt, zonder een enkel soort metaal, waarmee men houwen kon."*
Diego de Landa

Maya culture, Petén style / Maya Kunst, Petén-Stil / Art maya, style du Petén / Maya kunst, Petén stijl
Templo I
c. 700
Tikal, Guatemala

Maya culture, Palenque style / Maya Kunst, Palenque-Stil / Art maya, style de Palenque / Maya kunst, Palenque stijl
Templo de las Inscripciones
600-700
Palenque, México

Maya culture, Puuc style / Maya Kunst, Puuc-Stil / Art maya, style de Puuc / Maya kunst, Puuc stijl
Pirámide del Adivino
800-1000
Uxmal, México

▶ **Maya culture / Maya Kunst / Art maya**
Castillo
900-1200
Chichén Itzá, México

▶ **Maya culture, Puuc style / Maya Kunst, Puuc-Stil / Art maya, style de Puuc / Maya kunst, Puuc stijl**
Observatorio (el Caracol)
900-1000
Chichén Itzá, México

Maya culture, Puuc style / Maya Kunst, Puuc-Stil / Art maya, style de Puuc / Maya kunst, Puuc stijl
The Palace, façade detail
Detail der Palastfassade
« Grand Palais », détail de la façade
Detail van de voorgevel van het Paleis
700-1000
Sayil, México

Maya culture, Puuc style / Maya Kunst, Puuc-Stil / Art maya, style de Puuc / Maya kunst, Puuc stijl
Palacio de las Máscaras
Façade detail
Detail der Fassade
Détail de la façade
Detail van de voorgevel
700-1000
Kabah, México

◄ **Maya culture, Puuc style / Maya Kunst, Puuc-Stil / Art maya, style de Puuc / Maya kunst, Puuc stijl**
Palacio del Gobernador
800-1000
Uxmal, México

▌ "Now your days will end and you will die. You will be sacrificed and beheaded". Thus spoke the Xibalba chiefs. Then they were sacrificed and buried in the Pelota Court of the Sacrificed.
▌ "Jetzt werden eure Tage ein Ende haben und ihr werdet sterben. Ihr werdet geopfert und enthauptet werden". So sprachen die Häuptlinge der Xibalba. Und so wurden sie geopfert und begraben im Spiel der Pelota der Geopferten.
▌ "À présent, vos jours vont prendre fin et vous allez mourir. Vous serez sacrifiés et décapités". Ainsi parlèrent les chefs de Xibalba. Puis on les sacrifia et on les enterra dans le Jeu de pelote des Sacrifiés.
▌ "Nu zullen uw dagen eindigen en u zult sterven. U zult geofferd en onthoofd worden." Zo spraken de hoofdmannen van Xibalba. En dus werden ze geofferd en begraven in het Pelotaspel van de Geofferden.
Popol Vuh

Maya culture / Maya Kunst / Art maya
Ball court detail
Detail des Ballspielfeldes
Terrain de jeu de balle, détail
Detail van het Balspeelveld
900-1000
Chichén Itzá, México

▶ **Maya culture / Maya Kunst / Art maya**
Stele A, representing Waxaklajuun Ub'aah K'awiil, king of Copán
Stele A stellt Waxaklajuun Ub'aah K'awiil, König von Copán
Stèle « A » représentant Waxaklajuun Ub'aah K'awiil, roi de Copán
Stèle A, Waxaklajuun Ub'aah K'awiil, koning van Copán
c. 732
Copán, Honduras

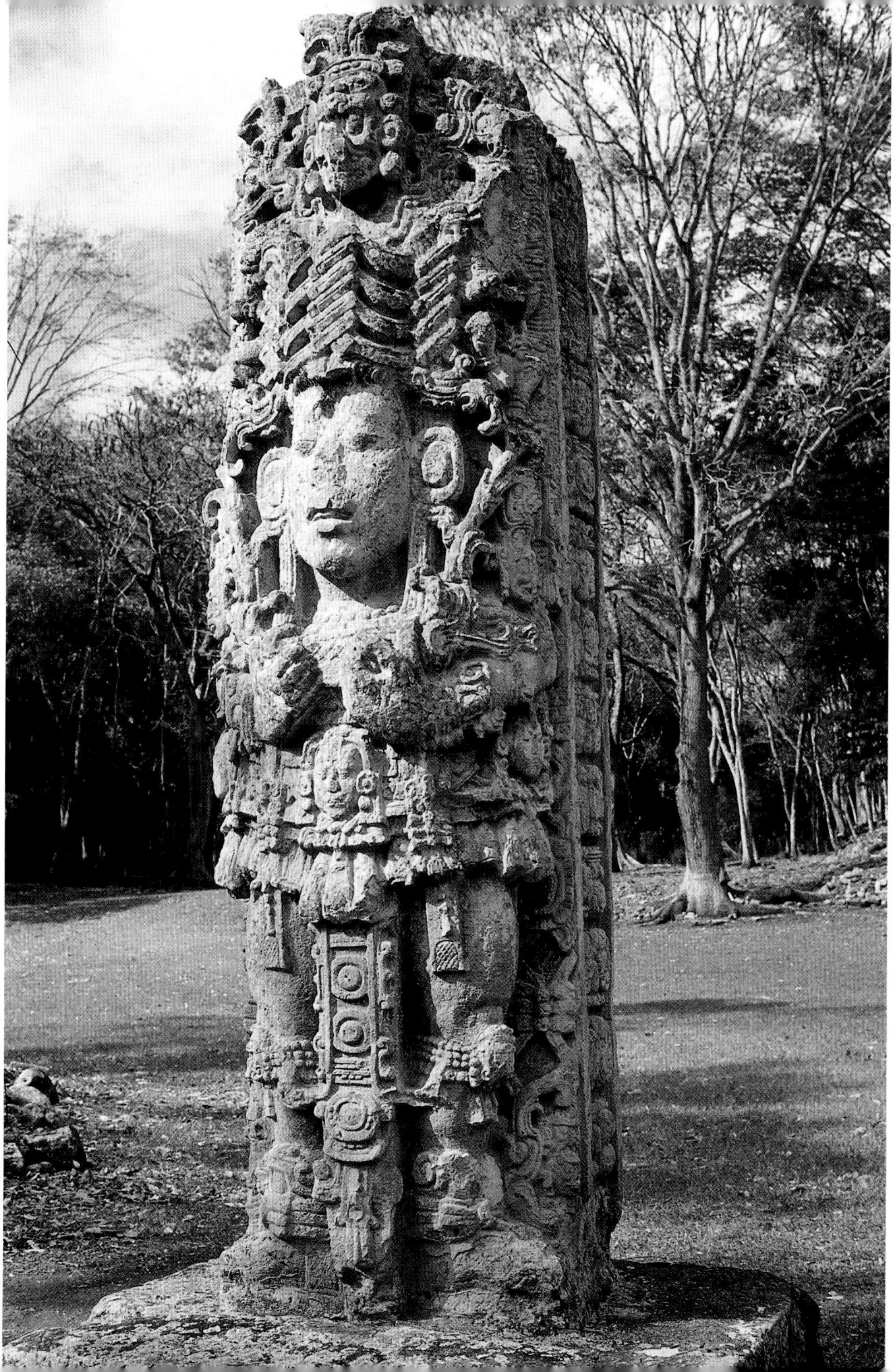

Maya culture / Maya Kunst / Art maya
Lintel 24, structure 23, stone
Architrav 24, Struktur 23, Stein
Linteau 24 de la « Structure 23 », pierre
Latei 24, structuur 23, steen
Yaxchilan, México
c. 725
British Museum, London

Maya culture / Maya Kunst / Art maya
Lintel 26, structure 23, stone
Architrav 26, Struktur 23, Stein
Linteau 26 de la « Structure 23 », pierre
Latei 26, structuur 23, steen
Yaxchilan, México
c. 725
Museo Nacional de Antropología e Historia, Ciudad de México

Maya culture / Maya Kunst / Art maya
Lintel 16, structure 21, stone
Architrav 16, Struktur 21, Stein
Linteau 16 de la « Structure 21 », pierre
Latei 16, structuur 21, steen
Yaxchilan, México
c. 755-770
British Museum, London

▶ **Maya culture / Maya Kunst / Art maya, Copán**
Corn god, volcanic stone
Maisgott, Vulkanstein
Dieu du Maïs, pierre volcanique
Maïsgod, vulkanisch steen
Copán, Honduras
700-800
British Museum, London

Maya-Toltec culture / Maya-Tolteken Kunst / Art maya toltèque / Maya-Tolteekse kunst
Chac-Mool, from the Temple of Venus, stone
Chac-Mool aus dem Venustempel, Stein
Chac-Mool, provenant du « temple de Vénus », pierre
Chac Mool, uit de Tempel van Venus, steen
Chichén Itzá, México
830-1200
Museo Nacional de Antropología e Historia, Ciudad de México

▶ Maya culture / Maya Kunst / Art maya
Chinkultik disk with a ball player, stone
Diskus von Chinkultik mit Ballspielern, Stein
Disque de Chinkultik, orné d'une représentation de joueur de balle, pierre
Schijf van Chinkultic met Balspelspeler, steen
600-800
Museo Nacional de Antropología e Historia, Ciudad de México

Maya culture, Palenque style / Maya Kunst, Palenque-Stil / Art maya, style de Palenque / Maya kunst, Palenque stijl
Head, stucco
Kopf, Stuck
Tête, stuc
Hoofd, pleister
c. 681
Museo Nacional de Antropología e Historia, Ciudad de México

◄ **Maya culture, Petén style / Maya Kunst, Petén-Stil / Art maya, style du Petén / Maya kunst, Petén stijl**
Lintel from temple IV, wood
Architrav aus dem Tempel IV, Holz
Linteau du « Temple IV » de Tikal, bois de sapotillier
Latei uit Tempel IV van Tikal, hout
Tikal, Guatemala
700-800
Museum für Völkerkunde, Basel

Maya culture, Palenque style / Maya Kunst, Palenque-Stil / Art maya, style de Palenque / Maya kunst, Palenque stijl
Bird-man, ceramic, painted
Vogelmensch, bemalte Keramik
Statuette d'homme-oiseau, céramique peinte
Vogelman, beschilderd keramiek
600-830
Museo de Sitio, Palenque, México

◄ **Maya culture, Palenque style / Maya Kunst, Palenque-Stil / Art maya, style de Palenque / Maya kunst, Palenque stijl**
Censer, ceramic, painted
Räuchergefäß, bemalte Keramik
Brûle-encens, céramique peinte
Wierookvat, beschilderd keramiek
Palenque, México
600-900
Museo Nacional de Antropología e Historia, Ciudad de México

Maya culture, Central Lowlands style / Maya Kunst, stile Bassopiani Centrali / Art maya, style des basses terres centrales / Maya kunst, Centrale Laagvlakte stijl
Tripod cylinder vase, ceramic, painted
Dreifüßige zylindrische Vase, bemalte Keramik
Vase cylindrique tripode, céramique peinte
Driepotige cilindrische vaas, beschilderd keramiek
300-400
Kimbell Art Museum, Fort Worth (TX)

Maya culture / Maya Kunst / Art maya
Double vase, ceramic
Doppelte Vase, Keramik
Vase double, céramique
Dubbele vaas, keramiek
350-550
The Metropolitan Museum of Art, New York

▶ **Maya culture / Maya Kunst / Art maya**
Vase, ceramic, with engraved decoration
Vase, gravierte Keramik
Vase, céramique incisée
Vaas, gegraveerd keramiek
500-600
The Metropolitan Museum of Art, New York

▶ **Maya culture / Maya Kunst / Art maya**
Vase with lid, from structure IX, Becan, ceramic, painted
Vase mit Deckel, von der Becan Struktur IX, bemalte Keramik
Vase à couvercle, provenant de la « Structure IX » de Becan, céramique peinte
Vaas met deksel, uit de Becan structuur IX, beschilderd keramiek
200-600
Museo Histórico Fuerte San Miguel, Campeche

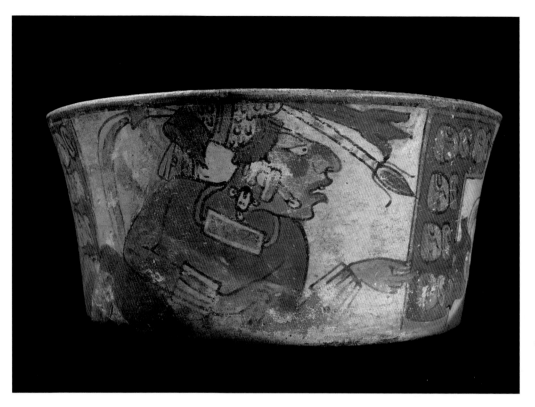

Maya culture / Maya Kunst / Art maya
Polychrome cylinder vase, ceramic, painted
Mehrfarbige zylindrische Vase, bemalte Keramik
Vase cylindrique polychrome, céramique peinte
Polychrome cilindrische vaas, beschilderd keramiek
300-900
Private Collection / Privatkollektion / Collection privée / Privécollectie

◀ **Maya culture / Maya Kunst / Art maya**
Cylinder vase, with scenes of life at the palace, ceramic, with engraved decoration
Zylindrische Vase mit Szenen aus dem Palast, gravierte Keramik
Vase cylindrique décoré d'une représentation de dignitaire maya, céramique incisée
Cilindrische vaas met paleisscènes, gegraveerd keramiek
600-900
Dallas Museum of Art, Dallas (TX)

Maya culture / Maya Kunst / Art maya, Guatemala
Cylinder vase, with mythological scenes, polychrome pottery
Zylindrische Vase mit mythologischen Szenen, mehrfarbige Keramik
Vase cylindrique décoré de scènes mythologiques, céramique polychrome
Cilindrische vaas met mythologische scènes, polychroom keramiek
700-800
The Metropolitan Museum of Art, New York

**Maya culture, Northern Lowlands style / Maya Kunst, Nord-Tiefebene / Art maya des basses terres
septentrionales / Maya kunst, Noordelijke Laagvlakte**
Cylinder vase, with scenes of life at the palace, ceramic, with engraved decoration
Zylindrische Vase mit Szenen aus dem Palast, gravierte Keramik
Vase cylindrique décoré de scènes de palais, céramique incisée
Cilindrische vaas met paleisscènes, gegraveerd keramiek
765
Kimbell Art Museum, Fort Worth (TX)

◀ **Maya culture / Maya Kunst / Art maya**
Cylinder vase, with scenes of life at the palace, ceramic, painted
Zylindrische Vase mit Szenen aus dem Palast, bemalte Keramik
Vase cylindrique décoré d'une scène de palais, céramique peinte
Cilindrische vaas met paleisscènes, beschilderd keramiek
300-900
The Merrin Gallery, New York

Maya culture / Maya Kunst / Art maya
Censer with male figure in tree position, polychrome pottery
Räuchergefäß, Figur in "Baumposition", mehrfarbige Keramik
Brûle-encens avec personnage figuré la tête en bas, céramique polychrome
Wierookvat met man in "boom" positie, polychroom keramiek
Dzibanché
1200-1521
Museo Nacional de Antropología e Historia, Ciudad de México

▶ **Maya culture / Maya Kunst / Art maya**
Mask from tomb 1, structure 6, jadeite and shell
Maske aus dem Grab 1, Struktur VI, Jadeit, Muschel
Masque provenant de la tombe 1 de la « Structure VI », jadéite, coquillage
Masker uit Tombe 1, structuur VI, jadeiet en schelp
Calakmul
695-702
Museo Arqueológico de Campeche, Campeche

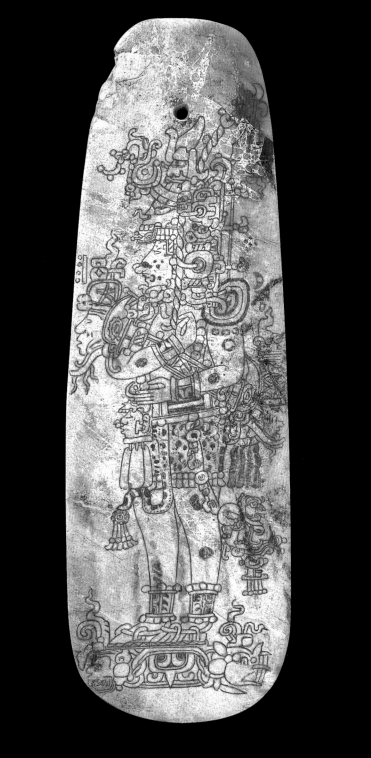

Maya culture / Maya Kunst / Art maya
Bas-relief with image of a Maya king, jadeite
Schild mit Darstellung des Mayaherrschers, Jadeit
Plaque ornée d'une représentation de souverain maya, jadéite
Plaat met weergave van een Maya staatshoofd, jadeiet
600-800
British Museum, London

◀ **Maya culture / Maya Kunst / Art maya, Guatemala**
Belt ornament, jadeite, with red pigment
Gürtelverzierung, Jadeit und rote Farbe
Ornement de ceinture, jadéite et pigment rouge
Ornament van een riem, jadeiet en rood pigment
c. 400-500
Kimbell Art Museum, Fort Worth (TX)

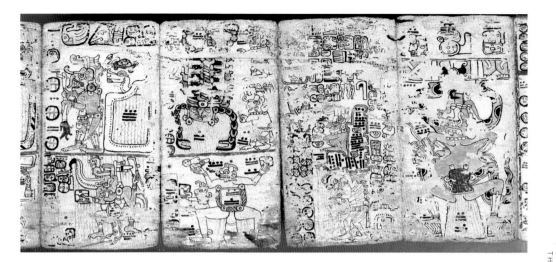

Maya culture / Maya Kunst / Art maya
Madrid Codex, painting, on bark covered with slaked lime
Kodex Madrid, Rinde, überzogen mit bemaltem Kalk
Codex de Madrid, papier végétal recouvert d'enduit et peint
Madrid Codex, schors, bedekt met beschilderd kalk
c. 1300-1500
Museo de América, Madrid

◄ **Maya-Toltec culture / Maya-Tolteken Kunst / Art maya-toltèque / Maya-Tolteekse kunst**
Disk with mosaic of turquoise, shell and flint, mosaic of turquoise, shell and flint mounted on wood
Diskus mit Türkismosaik, Muschel und Kieselstein, Holz mit Türkisnmosaik, Muschel und Kieselstein
Disque orné d'une mosaïque de turquoises, coquillages et silex, bois et mosaïque de turquoises, coquillages et silex
Schijf met mozaïek van turkoois, schelp en vuursteen, hout met mozaïek van turkoois, schelp en vuursteen
Chichén Itzá
830-1200
Museo Nacional de Antropología e Historia, Ciudad de México

The Antilles and Central America

The fertile and lush tropical regions of Central America formed the backdrop for the blossoming of a myriad of small domains, the most evident characteristic of which was their exceptionally elegant and refined artistic production as demonstrated by their sculpture, ceramic and marvellous goldwork. The peoples of the Antilles were the first to encounter the Europeans, a meeting that had catastrophic and fatal consequences and led to the demise of these cultures.

Antillen und Mittelamerika

Die fruchtbaren und üppigen Tropen Mittelamerikas waren Entwicklungsschauplatz einer Unmenge kleinerer Stadtstaaten, deren evidenteste Charakteristik eine kunsthandwerkliche Produktion von außerordentlicher Eleganz ist; dies beweisen Skulpturen, Keramik und herrliche Goldschmiedearbeiten. Die Kulturen der Antillen waren die ersten, die mit den Europäern in Kontakt traten – eine Begegnung, die unheilvolle und katastrofische Folgen hatte, denn sie bestimmte das Ende dieser Kulturen.

7

Antilles et Amérique Centrale

Les terres tropicales de l'Amérique centrale, fertiles et luxuriantes, ont été le théâtre du développement de multiples petites seigneuries et chefferies dont la caractéristique la plus évidente est une production artistique d'un raffinement et d'une élégance exceptionnelles ; en témoignent des sculptures et des céramiques, mais aussi des merveilles d'orfèvrerie. Les populations antillaises ont été les premières à entrer en contact avec les Européens – rencontre néfaste dont les conséquences catastrophiques ont marqué la fin de ces diverses cultures.

Antillen en Centraal-Amerika

De vruchtbare en weelderige tropische grond van Centraal-Amerika werd het toneel van de ontwikkeling van een myriade van kleine heerschappijen, wiens evidente kenmerk een uitzonderlijk geraffineerde en elegante artistieke productie is, vertoond in de beeldhouwwerken, de keramiekwerken en de schitterende edelsmeedkunsten. De Antilliaanse bevolkingen waren de eerste die in contact kwamen met de Europeanen; een ontmoeting die rampzalige en catastrofale gevolgen had en het einde van deze beschavingen betekende.

Cultures of the Antilles and Central America
Die Kulturen der Antillen und Mittelamerikas
Cultures des Antilles et de l'Amérique centrale
De culturen van de Antillen en van Centraal-Amerika

CHIRIQUÍ

- ● Chiriquí
- ● La Cañaza
- ● Coclé
- ○ Veraguas
- ● Taíno / Taïno

JAMAICA

HAITÍ

REPÚBLICA
DOMINICANA

VERAGUAS

COCLÉ

Cultures of the Antilles and Central America

Chiriqui: a culture that flourished in the region of the same name between Costa Rica (Diquis province) and Panama (Chiriquii and Bocas del Toro provinces). Although the region has a long archaeological sequence dating back to at least 1500 BC, it reached its apex between 700 and 1500, when the refined local goldsmithery also flourished.

La Cañaza: situated in the Tonosi district of Panama, the La Cañaza culture developed between 700 and 1100 and is known for its polychrome ceramics (similar to those of the better known Cocle culture) discovered at the site of this name, the El Indio cemetery and other sites in the region.

Cocle: a culture that developed in Panama in the region with the same name between 700 and 1300 and is famous for the tombs of Sitio Conte where aristocrats were buried together with many sacrificial victims and were accompanied by gold jewellery and refined polychrome ceramics.

Veraguas: an archaeological culture that flourished between 700 and 1530 in this province of central Panama. Like many other cultures of the region it is known principally for its polychrome ceramics and goldwork.

Taino: an indigenous people of Arawakan language who inhabited the archipelagos of the Bahamas, the Greater Antilles and some islands of the northern Lesser Antilles. Although quite a local culture, they did share some elements with nearby civilizations such as the Mesoamerican ball game. The Taino were the first indigenous population encountered by Christopher Columbus in 1492.

Die Kulturen der Antillen und Mittelamerikas

Chiriquí: die Kultur erblühte in der gleichnamigen Region zwischen Costa Rica (Diquís) und Panama (Chiriquí und Bocas del Toro). Die Region weist ab 1500 v. Chr. eine Reihe archäologischer Stätten auf, 700 - 1500 n. Chr. erreichte sie ihre Blütezeit und auch die lokale Goldschmiedekunst entwickelte sich.

La Cañaza: 700 -1100 n. Chr. entwickelte sich die Kultur im Gebiet von Tonosí (Panama); sie ist für ihre bunten Keramiken bekannt, die jenen der Coclé Kultur ähneln, die man unter anderem auch im Friedhof von El Indio am gleichnamigen Ort gefunden hat.

Coclé: entwickelte sich in der gleichnamigen Region Panamas 700 - 1300 n. Chr.; diese Kultur ist für ihre Gräber in Sito Conte bekannt, in denen Fürsten gemeinsam mit zahlreichen Menschenopfern, mit Goldketten sowie bunten und raffinierten Keramiken beerdigt wurden.

Veraguas: Kultur um 700- 1530 n. Chr. in der gleichnamigen Provinz Zentralpanamas. Wie viele andere Kulturen dort, ist sie bekannt für ihre bunte Keramik und die Goldschmiedekunst.

Taíno: Volk der Arawak, das die Bahamas, die Großen Antillen und Inseln der südlichen Kleinen Antillen bewohnte. Es teilte einige Elemente mit den nahen mesoamerikanischen Kulturen, wie z.B. das Ballspiel. Das erste Volk, dem Christoph Columbus begegnete, waren die Taíno.

Cultures des Antilles et de l'Amérique centrale

Chiriquí : culture florissante dans la région homonyme, entre le Costa Rica (province de Doquis) et le Panama (provinces de Chiriquí et de Bocas del Toro). La région offre une longue séquence archéologique au moins à partir de 1500 av. J.-C., mais elle atteint son apogée entre 700 et 1500 de notre ère — période où se développa aussi une orfèvrerie locale raffinée.

La Cañaza : troisième phase identifiée d'une culture, qui s'est développée dans le district de Tonosí (Panama) entre 700 et 1100 de notre ère. Elle est connue pour ses céramiques polychromes, similaires à celles de la culture plus célèbre de Gran Coclé [voir ce nom], et retrouvées sur le site éponyme, dans la nécropole d'El Indio et sur d'autres sites de la région.

Coclé : développée dans la région homonyme de Panama entre 700 et 1300 de notre ère, cette culture est célèbre pour les tombes de Sito Conte, où des personnages nobles ont été ensevelis en compagnie d'un grand nombre d'individus sacrifiés, avec un mobilier funéraire de bijoux en or et de céramiques polychromes raffinées.

Veraguas : culture archéologique développée entre 700 et 1530, dans la province éponyme du centre de Panama. Comme beaucoup de cultures de la région, elle est principalement connue pour son orfèvrerie et ses céramiques polychromes.

Taïno : peuplade indigène de langue arawak, répandue dans les archipels des Bahamas et des Grandes Antilles, et dans la partie septentrionale des Petites Antilles. Résolument locale, sa culture partageait toutefois certains éléments avec les cultures méso-américaines voisines, comme par exemple le jeu de balle. Les Taïnos ont été les premiers « Indiens » rencontrés par Christophe Colomb en 1492.

De culturen van de Antillen en van Centraal-Amerika

Chiriquí: bloeiende cultuur in het gelijknamige gebied tussen Costa Rica (prov. Diquís) en Panama (prov. Chiriquí en Bocas del Toro). Het gebied vertoont vanaf 1500 v.Chr. een lange archeologische opeenvolging en bereikte tussen 700 en 1500 n.Chr. haar bloeiperiode. Periode waarin ook de lokale edelsmeedkunst zich ontwikkelde.

La Cañaza: ontwikkelde zich tussen 700 en 1100 n.Chr. in het Tonosí-district (Panama). Staat net als de bekendere Coclé cultuur bekend om haar polychrome keramiekwerken, teruggevonden op de gelijknamige site, op de begraafplaats van El Indio en de andere sites van het gebied.

Coclé: zich tussen 700 en 1300 n.Chr. ontwikkelend in het gelijknamige gebied van Panama, staat deze cultuur bekend om de tombes van Sito Conte, waar edele personen samen met een groot aantal geofferden werden begraven, vergezeld met gouden halssnoeren en verfijnde polychrome keramiekwerken.

Veraguas: archeologische cultuur die floreerde tussen 700 en 1530 n.Chr. in de gelijknamige provincie in het centrale gebied van Panama. Is, net als de meeste culturen van het gebied, bekend om de polychrome keramiekwerken en de edelsmeedkunst.

Taíno: inheemse arawak-sprekende bevolking die de archipellen van de Bahamas en de Grote Antillen en enkele eilanden van het noordelijke gedeelte van de Kleine Antillen bevolkten. Hoewel duidelijk lokaal, deelden zij enkele elementen met de naburige meso-Amerikaanse culturen, zoals bijvoorbeeld het balspel. De Taíno was de eerste inheemse bevolking die Christoffel Columbus in 1492 aantrof.

**Taino culture, Lesser Antilles / Taíno Kunst, Kleine Antillen /
Art Taïno, Petites Antilles, La Dominique**
Three pointer stone with human faces, stone
Dreieckige Pfeilspitze mit menschlichen Gesichtern, Stein
Trigonolithes ornés de visages humains, pierre
Driepuntige steen met menselijke gelaten, steen
1200-1300
Musée du Quai Branly, Paris

**Taino culture, Lesser Antilles / Taíno Kunst, Kleine Antillen /
Art Taïno, Petites Antilles, La Dominique**
Zemi (idol), stone
Zemí, Darstellung der Gottheit, Stein
Zémí, représentation de divinité, pierre
Zemí, weergave van een godheid, steen
1200-1500
The Metropolitan Museum of Art, New York

▶ **Taino culture / Taíno Kunst / Art Taïno, Haiti**
Duho (ceremonial seat), wood
Duho, oder Zeremoniesitz, Holz
Duho, ou siège cérémoniel, bois de guayac
Duho, of ceremoniële zetel, hout
1300-1400
Musée du Quai Branly, Paris

▌ *"[The inhabitants of Hispaniola] had some idols and statues [...] that they usually called Cemì [...]. They believed that they gave them the water, the wind and the sun when they needed them, and likewise for children and the other things they wished to have. Some of these were of wood and others of stone."*

▌ *"[Die Bewohner von Hispaniola] hatten einige Idole und Statuen [...], die sie allgemein Cemì nannten [...]. Sie glaubten, dass sie ihnen bei Bedarf Regen, Wind und Sonne brächten, und ebenso die Kinder und die anderen Dinge, die sie haben wollten. Einige davon waren aus Holz, andere aus Stein."*

▌ *"[Les habitants d'Hispaniola] avaient des idoles et des statues [...] qu'ils appelaient généralement « Cemí » [...]. Ils croyaient qu'elles leur accordaient l'eau, le vent et le soleil lorsqu'ils en avaient besoin, et de même pour les fils et les autres choses qu'ils désiraient avoir. Certaines étaient en bois et d'autres en pierre."*

▌ *"[De inwoners van Hispaniola] hadden enkele idolen en beelden [...] die zij over het algemeen Cemí noemden [...]. Zij geloofden dat zij hen alleen water, wind en zon gaven, wanneer zij het nodig hadden en dit gold ook voor kinderen en andere zaken die zij wensten te hebben. Sommigen waren van hout en anderen van steen."*

Bartolomé de las Casas

Taino culture / Taíno Kunst / Art Taïno, Jamaica
Zemi (idol), wood
Zemí, Darstellung der Gottheit, Holz
Zémí, représentation de divinité, bois
Zemí, weergave van een godheid, hout
1400-1600
The Metropolitan Museum of Art, New York

Costa Rica culture / Kunst aus Costa Rica / Art du Costa Rica / Costaricaanse kunst
Bird-like plaque, jadeite
Vogelmorphes Schild, Jadeit
Plaque en forme d'oiseau stylisé, jadéite
Plaat in vogelvorm, jadeiet
500-1000 BC
Musée du Quai Branly, Paris

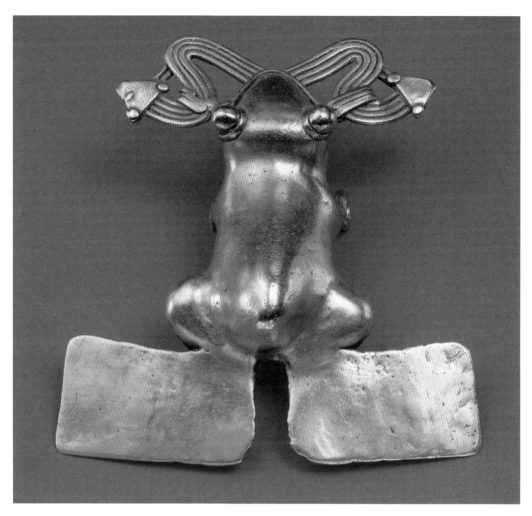

Chiriqui culture / Chiriquí Kunst / Art du Gran Chiriquí, Costa Rica
Pendant in the form of a frog, gold casting
Anhänger in Form eines Frosches, Goldguss
Pendentif en forme de grenouille, or moulé
Hanger in de vorm van een kikker, gietwerk in goud
1000-1600
The Metropolitan Museum of Art, New York

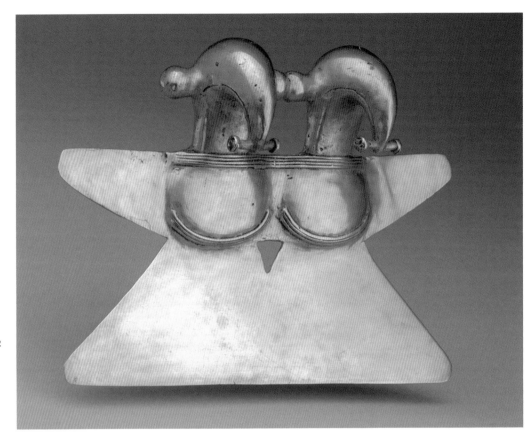

Pre-Columbian Panama / Kunst aus Panama / Art du Panama / Panama kunst
Pendant with two predatory birds, gold casting
Anhänger mit Greifvogelpaar, Goldguss
Pendentif orné d'un couple de rapaces, or moulé
Hanger met roofvogelkoppel, gietwerk in goud
50-500
The Metropolitan Museum of Art, New York

▶ **Pre-Columbian Panama / Kunst aus Panama / Art du Panama / Panama kunst**
Pendant of an anthropomorphic-zoomorphic figure, gold casting
Anthropo-zoomorpher Anhänger, Goldguss
Pendentif anthropo-zoomorphe, or moulé
Antropo-Zoömorfische hanger, gietwerk in goud
400-700
The Metropolitan Museum of Art, New York

Cocle culture / Coclé Kunst / Art du Gran Coclé, Panama
Dish, painted image of an imaginary animal, ceramic, painted
Teller mit Fantasiewesen, bemalte Keramik
Coupe décorée d'une créature fantastique, céramique peinte
Bord met fantasiewezen, beschilderd keramiek
700-900
Toni Ralph Collection, New York

◀ **Pre-Columbian Panama, La Cañaza / Die Cañaza Kunst, Panama / Art de La Cañaza, Panama / La Cañaza kunst, Panama**
Raised dish, painted image of an imaginary animal, ceramic, painted
Sockelteller mit Fantasietieren, bemalte Keramik
Coupe à pied décorée d'un animal fantastique, céramique peinte
Bord op voetstuk met fantasiedier, beschilderd keramiek
500-900
Musée du Quai Branly, Paris

Chiriqui culture / Chiriquí Kunst / Art du Gran Chiriquí, Panama
Pendant in the form of twin warriors with bat faces, gold, lost-wax casting
Anhänger mit Zwillingskriegern, die Fledermausgesichter haben, Goldguss mit der verlorenen Wachs Technik
Pendentif décoré de guerriers jumeaux à face de chauve-souris, or moulé à la cire perdue
Hanger met krijgers-tweeling met het gelaat van een vleermuis, gietwerk in goud met verloren-was-techniek
1000-1600
The Metropolitan Museum of Art, New York

◄ **Veraguas culture / Veraguas Kunst / Art de Veraguas, Panama**
Pectoral, hammered gold
Pektoral, gestanztes Gold
Pectoral, or battu
Borstplaat, geslagen goud
1000-1600
The Metropolitan Museum of Art, New York

Northern Andes

Some of the earliest sedentary societies of native Americans developed in the northern extensions of the Andes mountain chain, in the boundary regions between the highest mountains and the tropical regions of Central America. During the millenniums they gave rise to an extraordinary artistic tradition, typified by the outstanding quality of their gold artefacts, which are rightly considered among the greatest masterpieces of American art.

Die Nordanden

Die nördlichen Ausläufer der Kordilleren, Grenzgebiet zwischen den höchsten Bergen und den mittelamerikanischen Tropengebieten, sahen die Entwicklung einiger der frühesten sesshaften Gemeinschaften amerikanischer Eingeborenen. Im Laufe der Jahrtausende entstand hier eine außerordentlich künstlerische Tradition. Ihre Qualität wird durch Goldarbeiten bewiesen, die zu Recht zu den bedeutendsten Kunstwerken amerikanischer Kunst.

8

Andes Septentrionales

Les ramifications septentrionales de la Cordillère des Andes, terres de confins entre les hautes montagnes et les zones tropicales d'Amérique centrale, ont vu se développer quelques-unes des sociétés sédentaires les plus précoces de l'Amérique indigène. Au fil des millénaires, elles y ont donné naissance à une extraordinaire tradition artistique dont le haut niveau de qualité est illustré par des objets en or qui sont justement rangés parmi les grands chefs-d'œuvre de l'art américain.

Noordelijke Andes

De noordelijke uitlopers van de Andes bergketen, grensgebieden tussen de hoogste bergen en de Centraal-Amerikaanse tropische gebieden, zagen de ontwikkeling van de vroegste gevestigde samenlevingen van inheems Amerika. Hier werd in de loop van de millennia leven gegeven aan een buitengewone artistieke traditie, waarvan het hoge kwalitatieve niveau te zien is in de gouden kunstvoorwerpen, die worden gerekend tot de grootste meesterwerken van de Amerikaanse kunst.

Cultures of the Northern Andes
Die Kulturen der Nordanden
Cultures des Andes septentrionales
De culturen van de noordelijke Andes

VALLE DEL CAUCA

RÍO CALIMA

SAN AGUSTÍN

PENÍNSULA SANTA ELENA

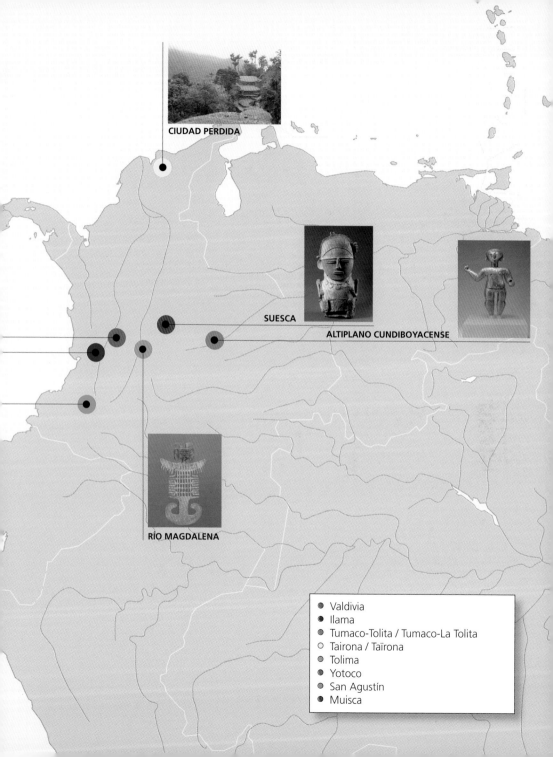

CIUDAD PERDIDA

SUESCA

ALTIPLANO CUNDIBOYACENSE

RÍO MAGDALENA

- Valdivia
- Ilama
- Tumaco-Tolita / Tumaco-La Tolita
- Tairona / Taïrona
- Tolima
- Yotoco
- San Agustín
- Muisca

Cultures of the Northern Andes

Valdivia: a civilization that flourished along the coast of Ecuador between 3500 and 1800 BC. The Valdivia ceramics, famous for the female figurines with complex hairstyling, are among the most ancient of the American continent.
Ilama: a civilization that developed in the Colombian region of the upper and mid course of Rio Calima between 800 and 100 BC.
Tumaco-La Tolita: a civilization that developed between 600 BC and 600 AD in the region between Colombia (Tumaco) and Ecuador (La Tolita), famous for its goldwork and the ceramic figures found in burial mounds such as those at the La Tolita site in Ecuador.
Tairona: a culture that developed between 200 BC and 1600 AD in the region of the Sierra di Santa Marta populated by indigenous groups of Chibcha language. It is best known for its splendid goldwork and the archaeological site of Ciudad Perdida.
Tolima: a culture that developed from the beginning of the Christian era in the Rio Magdalena basin famous, above all, for the superb goldwork of its artisans. When the Spaniards arrived peoples of the Carib language inhabited the area.
Yotoco: This culture developed in the Colombian regions of the high and mid Rio Calima and Rio Cauca valleys between 100 and 1200 AD. Their refined metalwork may distinguish the various Yotoco reigns.
San Agustín: an archaeological site in the Colombian province of Huila famous for the vast complex of sculptures placed in the vicinity of the funeral mounds. It is believed that the sculptures of San Agustin date to a very long period between 100 and 1200.
Muisca: a culture developed in central Colombia between 500 and 1600 by peoples of Chibcha language. The Spanish conquistadors encountered two powerful Muisca federations in the region. Their artisans were particularly fine goldsmiths.

Die Kulturen der Nordanden

Valdivia: die Kultur erblühte an der Küste Ecuadors zwischen 3500 und 1800 v. Chr. Ihre Keramiken gehören zu den antiksten Amerikas, wobei kleine Frauenfiguren mit komplizierten Frisuren hervorstechen.
Ilama: die Kultur entwickelte sich 800 - 100 v. Chr. im Kolumbien des oberen und mittleren Río Calima.
Tumaco-La Tolita: die Kultur entwickelte sich zwischen 600 v. Chr. und 600 n. Chr. zwischen Kolumbien (Tumaco) und Ecuador (La Tolita); berühmt sind die Goldschmiedearbeiten und Keramikfiguren in den Haufengräbern, wie jene in der archäologischen Stätte La Tolita (Ecuador).
Tairona: die Kultur entwickelte sich zwischen 200 v. Chr. und 1600 n. Chr. in der Sierra di Santa Marta, die von den Chibch bevölkert war. Bekannt sind vor allem die Goldschmiedekunst und die archäologische Stätte Ciudad Perdida.
Tolima: die Kultur entwickelte sich zu Beginn der christlichen Ära im Becken des Rio Magdalena; bekannt ist vor allem ihr herrliche Goldschmiedekunst. Beim Eintreffen der Spanier war das Gebiet von den Carib bewohnt.
Yotoco: diese Kultur entwickelte sich 100-1200 n.Chr. im Kolumbien des oberen und mittleren Río Calima und des Río Cauca. Die verschiedenen Yotoco Herrscherhäuser unterschieden sich durch eine raffinierte Metallverarbeitung.
San Agustín: archäologische Ausgrabungsstätte im kolumbianischen Gebiet von Huila; berühmt sind die weitverbreiteten Skulpturen um wichtige Grabhügel. Man glaubt, dass die Skulpturen von San Agustín auf 100 - 1200 n. Chr. zurückgehen.
Muisca: die Kultur entwickelte sich 500 -1600 in Zentralkolumbien aus Chibcha Stämmen. Die spanischen Eroberer stießen auf zwei mächtige Muisca Staaten in der Region. Auffallend ist ihre Goldschmiedekunst.

Cultures des Andes septentrionales

Valdivia : culture développée sur la côte équatorienne, entre 3500 et 1800 av. J.-C. Les céramiques de Valdivia — parmi lesquelles se distinguent les célèbres figurines féminines aux coiffures très sophistiquées — sont parmi les plus anciennes du continent américain.
Ilama : phase importante de la culture Calima, développée en Colombie sur le cours supérieur et moyen du Río Calima, entre 800 et 100 av. J.-C.
Tumaco-La Tolita : culture développée entre 600 av. J.-C. et 600 de notre ère, dans une région actuellement partagée entre la Colombie (Tumaco) et l'Équateur (La Tolita). Elle est connue pour son orfèvrerie et ses figures de céramique, retrouvées dans des sépultures à tumulus comme celles du site éponyme de La Tolita.
Taïrona : culture développée entre 200 av. J.C. et 1600 de notre ère, dans la région de la sierra de Santa Marta, peuplée de tribus indigènes de langue chibcha. Elle est principalement connue pour sa magnifique orfèvrerie et pour le grand site archéologique de Ciudad Perdida.
Tolima : culture développée à partir du début de l'ère chrétienne dans le bassin du Rio Magdalena, et surtout célèbre pour la qualité de son orfèvrerie. À l'arrivée des Espagnols, la zone était peuplée d'Indiens de langue *carib*.
Yotoco : cette culture se développe en Colombie, autour du cours supérieurs et moyens du Río Calima et du Río Cauca, entre 100 et 1200 de notre ère. Les diverses seigneuries Yotoco se distinguent par une production métallurgique raffinée.
San Agustín : site archéologique dans le district colombien de Huila, célèbre pour un vaste ensemble de sculptures disposées près de grands tertres funéraires. On considère que les sculptures de San Agustín remontent à une période comprise entre 100 et 1200 de notre ère.
Muisca : culture développée dans le centre de la Colombie entre 500 et 1600, par des populations de langue *chibcha*. Les conquérants espagnols se heurtèrent à deux puissantes confédérations dans la région. L'orfèvrerie se distingue parmi les productions artisanales de cette culture.

De culturen van de noordelijke Andes

Valdivia: cultuur die tussen 3500 en 1800 v.Chr. floreerde aan de Ecuadoriaanse kust. De keramiekwerken, waar de beroemde vrouwelijke figuren met ingewikkelde kapsels boven uitsteken, zijn de oudste van het Amerikaanse continent.
Ilama: cultuur die zich tussen 800 en 100 v.Chr. ontwikkelde in het Colombiaanse gebied van hoog en midden Río Calima.
Tumaco-La Tolita: cultuur die zich tussen 600 v.Chr. en 600 n.Chr. ontwikkelde in een gebied tussen Colombia (Tumaco) en Ecuador (La Tolita). Beroemd om de edelsmeedkunst en de keramieke figuren die werden teruggevonden in de grafheuvels, van bijv. de eponieme site La Tolita (Ecuador).
Tairona: cultuur die zich tussen 200 v.Chr. en 1600 n.Chr. ontwikkelde in het gebied van Sierra Nevada di Santa Marta, bevolkt door inheemse chibcha-sprekende groepen. Met name bekend om de edelsmeedkunst en de archeologische site Ciudad Perdida.
Tolima: cultuur die zich aan het begin van het Christelijke tijdperk ontwikkelde in het bekken van Rio Magdalena; vooral bekend om de uitmuntende edelsmeedkunst. Met de komst van de Spanjaarden werd het gebied bevolkt door Carib-sprekende mensen.
Yotoco: ontwikkelde zich tussen 100 en 1200 n.Chr. in de Colombiaanse gebieden van hoog en midden Río Calima en Río Cauca. De verschillende Yotoco meesters onderscheidden zich door een verfijnde metallurgische productie.
San Agustín: archeologische site in het Colombiaanse departement Huila, beroemd door de enorme beeldhouwwerken geplaatst nabij grote grafheuvels. De teruggevonden beeldhouwwerken van San Augustín worden gedateerd tussen 100 en 1200 n.Chr.
Muisca: cultuur die zich in centraal-Colombia tussen 500 en 1600 ontwikkelde door tussenkomst van de Chibcha-sprekende mensen. De Spaanse veroveraars ontmoetten twee machtige Muiscas federaties in het gebied. De edelsmeedkunst steekt boven de andere ambachtsproducten uit.

San Agustín culture / Kunst aus San Agustín / Art de San Agustín / San Agustín kunst, Colombia
Representation of supernatural beings in front of a funeral mound, stone
Darstellung von übernatürlichen Wesen vor dem Hügelgrab, Stein
Représentation d'êtres surnaturels devant un tumulus funéraire, pierre
Weergaven van bovennatuurlijke wezens voor een grafheuvel, steen
100-900
San Agustín, Colombia

▶ **Ilama culture / Ilama Kunst / Art de la phase Ilama, Colombia**
Funeral Mask, hammered gold sheet
Todesmaske, gestanztes Goldblatt
Masque funéraire, feuille d'or battue
Dodenmasker, geslagen bladgoud
500-50 BC
Metropolitan Museum of Art, New York

▶ **Yotoco culture / Yotoco Kunst / Art de la phase Yotoco, Colombia**
Diadem with a human face, hammered gold sheets, assembled with gold wire
Diadem mit menschlichem Gesicht, gestanzte Goldblätter zusammengesetzt mit Goldfäden
Diadème orné d'un visage humain, feuilles d'or battues et assemblées au fil d'or
Diadeem met mensengelaat, geslagen bladgoud, geassembleerd met gouddraad
50-700
The Metropolitan Museum of Art, New York

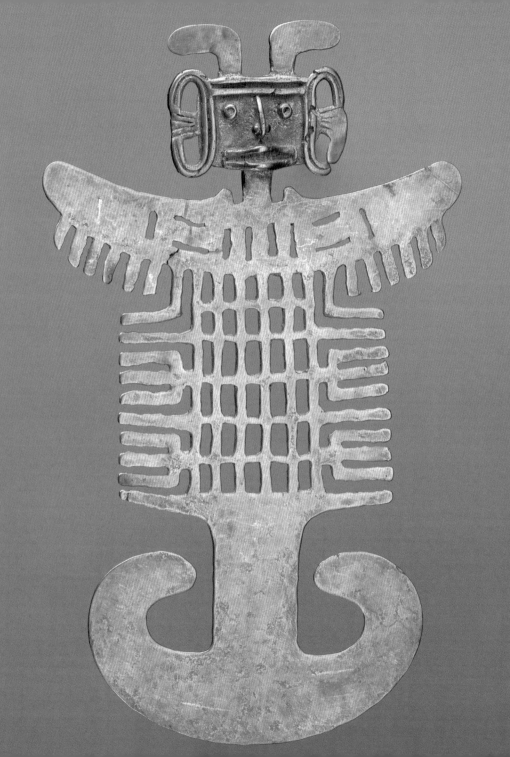

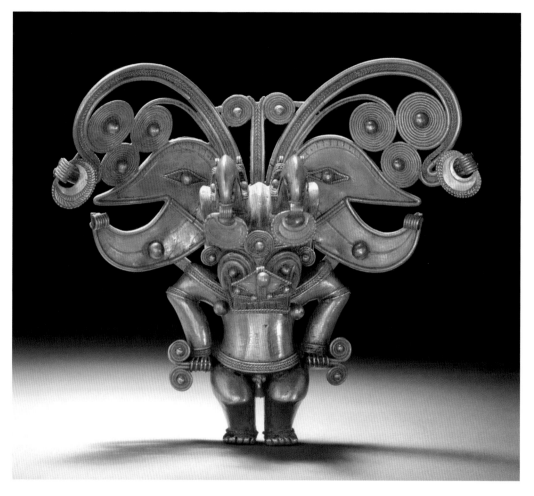

Tairona culture / Tairona Kunst / Art des Tairona, Colombia
Pendant of an anthropomorphic-zoomorphic figure, tumbaga alloy, lost-wax casting
Anthropo-Zoomorpher Anhänger, *Tumbaga* Legierung mit verlorenem Wachs und *mise-en-couleur* Technik
Pendentif anthropo-zoomorphe, *Tumbaga* (alliage d'or et de cuivre) moulé à la cire perdue
Antropo-zoömorfische hanger, gietwerk van *tumbaga* met 'verloren-was' en *mise-en-couleur* techniek
900-1600
The Metropolitan Museum of Art, New York

◀ **Tolima culture / Tolima Kunst / Art de Tolima, Colombia**
Pendant of an anthropomorphic-zoomorphic figure, gold casting
Anthropo-Zoomorpher Anhänger, Goldguss
Pendentif anthropo-zoomorphe, or moulé
Antropo-zoömorfische hanger, gietwerk van goud
50-700
The Metropolitan Museum of Art, New York

Muisca culture / Muisca Kunst / Art des Muisca, Colombia
Human figure, ceramic
Menschliche Figur, Keramik
Figurine humaine, céramique
Mensenfiguur, keramiek
900-1600
Ethnologisches Museum, Staatliche Museen zu Berlin, Berlin

Muisca culture / Muisca Kunst / Art des Muisca, Colombia
Tunjo (votive figure), gold casting
Tunjo (Votivfigur), Goldguss
Tunjo, ou figurine votive, or moulé
Tunjo, of toegewijd figuur, gietwerk in goud
900-1600
The Metropolitan Museum of Art, New York

Valdivia culture / Valdivia Kunst / Art de Valdivia, Ecuador
Female statuette, ceramic
Kleine weibliche Figur, Keramik
Figurine féminine, céramique
Vrouwenfiguurtje, keramiek
3000-1000 BC
Museo Preistorico ed Etnografico Pigorini, Roma

Tumaco-La Tolita culture / Tumaco-Tolita Kunst / Art de Tumaco-La Tolita, Ecuador
Seated figure, ceramic
Sitzende Figur, Keramik
Figurine assise, céramique
Zittende figuur, keramiek
100 BC-100 AD
The Metropolitan Museum of Art, New York

Central Andes

The majestic Andes, whose slopes descend to the coastal desert dotted with river oases and to the immense Amazon forest, formed the heart of one of the cradles of American civilization where reigns, states and empires succeeded one another for millenniums in a continuous chain of expansion, collapse and conquest that culminated in the extension of the Inca empire, the greatest of the political entities expressed by native America.

Die Zentralanden

Die imposanten Kordilleren, deren Hänge in die küstennahe Wüste mit den vielen Flussoasen und in den gewaltigen Amazonas Regenwald abfallen, waren Rückgrat und "Wiege" der amerikanischen Kultur. Über Jahrtausende erblühten hier Reiche, Staaten und Imperien in einem Aufeinanderfolgen von Wachstum, Untergang und Eroberungen. Höhepunkt war die Expansion des Inkareiches, der größten politischen Einheit, die sich jemals im eingeborenen Amerika entwickelt hat.

9

Andes Centrales

L'imposante Cordillère andine dont les pentes plongent à l'ouest vers un désert côtier ponctué d'oasis fluviales, à l'est dans l'immensité de la forêt amazonienne, a été l'axe porteur de l'un des « berceaux » de la civilisation amérindienne. Au fil des millénaires y sont apparus des royaumes, des États et des empires dans une suite ininterrompue de croissances, d'effondrements et de conquêtes qui ont culminé avec l'expansion de l'empire inca – la plus grande entité jamais développée dans l'Amérique indigène.

Centrale Andes

De indrukkwekkende Andes bergketen, wiens hellingen geleidelijk afdalen naar de kustwoestijn, rijk aan rivieroases en naar het Amazonewoud, is de ruggengraat van één van de "bakermatten" van de Amerikaanse beschaving, waar millennialang rijken, staten en imperia floreerden in een opeenvolging van groei, verval en verovering, een hoogtepunt bereikend met de uitbreiding van het Incarijk, de grootste politieke entiteit ooit ontwikkeld in inheems Amerika.

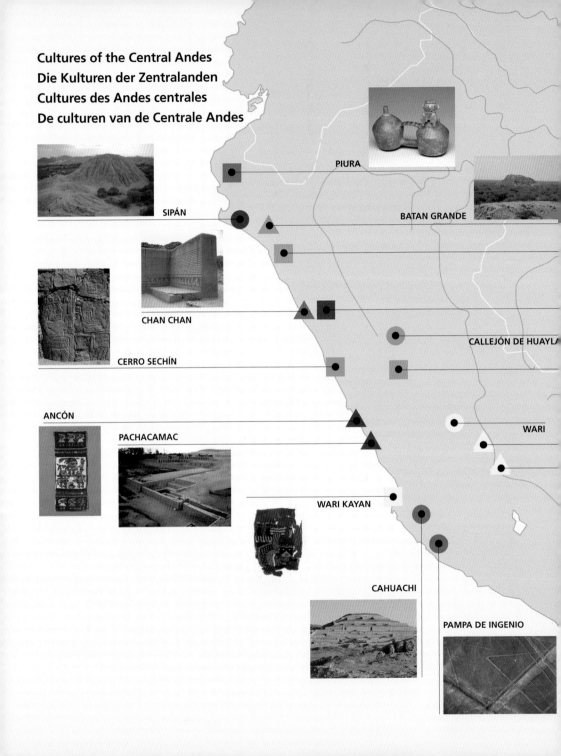

Cultures of the Central Andes
Die Kulturen der Zentralanden
Cultures des Andes centrales
De culturen van de Centrale Andes

PIURA

SIPÁN

BATAN GRANDE

CHAN CHAN

CALLEJÓN DE HUAYLA

CERRO SECHÍN

ANCÓN

WARI

PACHACAMAC

WARI KAYAN

CAHUACHI

PAMPA DE INGENIO

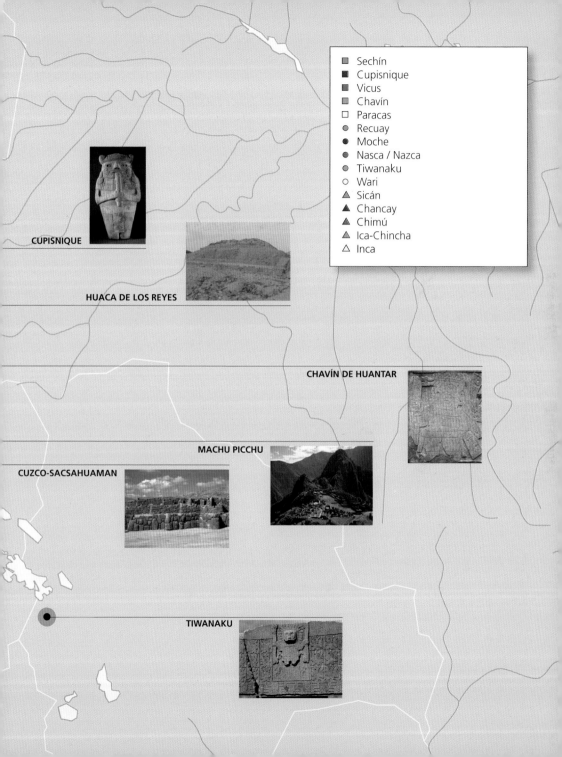

CUPISNIQUE

HUACA DE LOS REYES

- ■ Sechín
- ■ Cupisnique
- ■ Vicus
- ■ Chavín
- □ Paracas
- ● Recuay
- ● Moche
- ● Nasca / Nazca
- ● Tiwanaku
- ○ Wari
- ▲ Sicán
- ▲ Chancay
- ▲ Chimú
- △ Ica-Chincha
- △ Inca

CHAVÍN DE HUANTAR

MACHU PICCHU

CUZCO-SACSAHUAMAN

TIWANAKU

Cultures of the Central Andes

Sechín: the name of Sechín refers to one of the best known cultures that developed along the coast of Peru during the Initial period from 2000 BC. The most famous site is the temple of the same name in the Casma valley.

Cupisnique: a civilization that developed along the northern coast of Peru from 1500 BC, between 900 and 200 BC it became a sort of coastal variation of the Chavín culture, with which it shared strong artistic similarities.

Vicus: a culture that developed along the northern coast of Peru between 1000 and 300 BC. Best known for its ceramics and goldwork, it represented one of the foundations on which the famous Moche civilization developed.

Chavín: this culture, which developed in the central Andes between 900 and 200 BC, influenced most of the Andes and was characterized by the numerous images of zoomorphic supernatural beings. The most important archaeological site is Chavín de Huántar.

Paracas: a culture that grew up along the southern coast of Peru between 700 BC and 100 AD, usually classified in the two phases of the Cavernas (700-200 BC) and Necropolis (200 BC-100 AD). It is known above all for the extraordinary funeral mantles found in the necropolis of Wari Kayan.

Recuay: a culture that developed between 200 BC and 600 AD in the regions near to Callejón de Huaylas, that is what had once been the heart of the previous Chavín territory.

Moche: a culture that flourished between 100 and 800 along the northern coast of Peru and is known for its finely modelled ceramics and for the costumes of gold and precious stones found in noble tombs such as those of Sipán.

Nasca: a culture that developed on the southern coast of Peru between the beginning of the Christian era and 800 AD. Famous for the geoglyphs or ceremonial paths laid out on the surface of the pampa, it is also known for the abundant production of polychrome ceramics and brightly coloured textiles.

Tiwanaku: a culture with its centre at this site, it flourished between 300 and 1000 near the southeastern shore of Lake Titicaca and was one of the most influential cultures of the Andes for almost a thousand years. The city of Tiwanaku was in fact the capital of a great empire that included most of the Andean plateau and in continuous contact, though not always peaceful, with the neighbouring Wari Empire.

Wari: an important empire, the capital city of which bore the same name and was situated near the modern day city of Ayacucho in Peru, which extended its domain over most of ancient Peru between 500 and 900 AD when its aristocracy was in close relation, though not always peaceful, with its contemporary counterpart, the Tiwanaku empire in the area of Bolivia.

Sicán: a culture that developed in the area of Lambayeque, at the northern extremity of the Peruvian coast, between 750 and 1375. The principal archaeological site is Batan Grande, in the Leche valley. Sicán art is internationally known for the extraordinary goldwork.

Chancay: a culture that developed along the central coast of Peru between 1000 and 1450 when the area was engulfed by the Inca Empire. It is best known for the typical ceramics with dark brown decorations on a cream coloured background and its magnificent textiles.

Chimú: one of the major kingdoms in the Andes, it developed along the northern coast of Peru between 1000 and 1450 under the dominion of the capital Chan Chan, famous for the magnificent mud friezes of the palaces.

Ica-Chincha: a culture that developed along the southern coast of Peru between 1000 and 1476. In addition to refined ceramics with geometric decorations, the artists of this region made splendid mantles of cotton or feathers and elegant ceremonial oars of prosopis wood.

Inca: the people of the Andes who created the greatest empire of pre-Columbian America between the 13th and 16th centuries, which stretched from the north of Chile to Ecuador and was known by the name of Tawantinsuyu, "the four fourths together" with the capital city of Cuzco at the centre.

Die Kulturen der Zentralanden

Sechín: der Name Sechín bezieht sich auf eine der bekanntesten Kulturen, die sich an der Küste von Peru ab 2000 v. Chr. entwickelte. Bekannt ist der gleichnamige Tempel im Casma Tal.

Cupisnique: an der nördlichen Küste Perus ab 1500 v. Chr.; zwischen 900 und 200 v. Chr. wurde die Kultur zu einer Küstenvariante der Chavín Kultur, mit der sie starke Ähnlichkeit in den künstlerischen Ausdrucksformen aufweist.

Vicus: die Kultur entwickelte sich 1000 - 300 v. Chr. an der Nordküste Perus. Die Wurzel der bekannten Moche Kultur ist vor allem für die Keramik und Goldschmiedekunst bekannt.

Chavín: die Kultur entwickelte sich 900 - 200 v. Chr. in den Zentralanden und beeinflusste den Großteil des Andenraums; sie zeichnet sich durch die vielfältigen zoomorphen Darstellungen übernatürlicher Wesen aus. Bedeutendste archäologische Stätte ist Chavín de Huantar.

Paracas: die Kultur entwickelte sich an der Südküste Perus zwischen 700 v. Chr. und 100 n. Chr.; sie ist in zwei Epochen unterteilt: Cavernas (700-200 v.Chr.) und Necropolis (200 v.Chr. - 100 n. Chr.). Bekannt sind die außerordentlichen Grabmäntel in der Nekropolis von Wari Kayan.

Recuay: die Kultur entwickelte sich zwischen 200 v. Chr. und 600 n. Chr. in den Regionen um Callejón de Huaylas, d.h. im Herzen der vorherigen Chavín Kultur.

Moche: die Kultur erblühte 100 – 800 n. Chr. an der Nordküste Perus; bekannt sind ihre modellierte Keramik und die Kostüme aus Gold und Edelsteinen in Fürstengräbern, wie jene von Sipán.

Nazca: Kultur, die an der Südküste Perus ab der christlichen Ära bis 800 n. Chr. erblühte. Weltweit bekannt ist sie wegen ihrer Geoglyphen (in die Pampa gezeichnete Zeremonien-Wege) und auch für die vielen bunten Keramiken und leuchtenden Stoffe.

Tiwanaku: konzentriert sich auf die gleichnamige Stätte, die sich 300 - 1000 n. Chr. im Gebiet der Südostküste des Titicaca Sees ausbreitete; fast tausend Jahre war sie eine der einflussreichsten Kulturen der Anden. Tiwanaku war die Hauptstadt eines großen Reiches, das sich über einen Großteil der Hochebene der Anden ausbreitete und in ständigem, nicht immer friedlichen Kontakt mit dem "angrenzenden" Wari Reich stand.

Wari: wichtiges Reich, das sich auf die gleichnamige Hauptstadt in der Nähe des heutigen Ayacucho (Peru) bezieht. Es weitete 500 - 900 n. Chr. sein Herrschaftsgebiet auf einen Großteil des antiken Peru aus, als seine Elite enge, nicht immer friedliche Kontakte mit dem Tiwanaku Reich auf bolivianischem Gebiet hatte.

Sicán: die Kultur entwickelte sich 750 - 1375 n. Chr. an der äußersten nordperuanischen Küste um Lambayeque. Die wichtigste archäologische Stätte ist Batan Grande im Leche Tal. Berühmt sind ihre außergewöhnlichen Goldschmiedearbeiten.

Chancay: die Kultur entwickelte sich an der mittleren Küste Perus um 1000 - 1450 n. Chr., als das Gebiet in das Inkareich einverleibt wurde. Bekannt ist sie für ihre typische Keramik mit dunkelbraunen Mustern auf beigem Hintergrund und für ihre herrlichen Stoffe.

Chimú: eines der wichtigsten Reiche des Andenraums, das sich 1000 - 1450 n. Chr. an der Nordküste Perus unter der Vorherrschaft der Hauptstadt Chan Chan entwickelte; bekannt ist ihr Schmuck aus ungebranntem Lehm an den Palästen.

Ica-Chincha: die Kultur entwickelte sich 1000 - 1476 n. Chr. an der Südküste Perus. Abgesehen von raffinierten Keramiken mit geometrischen Mustern, haben die Künstler dieser Region herrliche Mäntel aus Baumwolle oder Federn, sowie elegante Zeremonienruder aus Huarango-Holz hergestellt.

Inka: das Andenvolk gründete zwischen dem 13. und 16. Jhdt. das bedeutendste Reich des präkolumbianischen Amerika zwischen Nordchile und Ecuador; es war unter dem Namen Tawantinsuyu "Land der vier Teile" bekannt. In der Mitte lag die Hauptstadt Cuzco.

Cultures des Andes centrales

Sechín : le nom de Sechín fait référence à l'une des cultures les plus connues développées sur la côte péruvienne, au cours de la période Initiale, à partir de 2000 av. J.-C. Le site le plus célèbre est le temple homonyme de la vallée de Casma.

Cupisnique : cette culture, développée sur la côte septentrionale du Pérou à partir de 1500 av. J.-C., est devenue entre 900 et 200 av. J.-C. une sorte de variante côtière de la culture Chavín à laquelle son art ressemble beaucoup.

Vicus : culture qui se développe sur la côte septentrionale du Pérou, entre 1000 et 300 av. J.-C. Connue pour son orfèvrerie et sa céramique, elle a constitué une des bases de la culture Mochica.

Chavín : développée dans les Andes centrales entre 900 et 200 av. J.-C., cette culture a influencé une grande partie de la zone andine. Elle est caractérisée par les multiples représentations d'êtres surnaturels zoomorphes. Le site archéologique le plus important en est Chavín de Huantar.

Paracas : culture développée sur la côte méridionale du Pérou, entre 700 av. J.-C. et 100 de notre ère. On la divise généralement en deux phases : « Paracas cavernes » (700-200 av. J.-C.) et « Paracas nécropoles » (200 av. J.-C.-100). Elle est surtout connue pour les extraordinaires manteaux funéraires trouvés dans la nécropole de Wari Kayán.

Recuay : cette culture se développe entre 200 av. J.-C. et 600 de notre ère, près de Callejón de Huaylas, au cœur de la culture Chavín antérieure.

Mochica (ou Moche) : culture prospère entre 100 et 800 de notre ère, sur la côte septentrionale du Pérou. Elle est connue pour ses céramiques modelées et pour les parures en or et pierres précieuses trouvées dans les tombes nobiliaires comme celle du « seigneur de Sipán ».

Nazca : culture développée sur la côte méridionale du Pérou entre le début de l'ère chrétienne et l'an 800. Mondialement célèbre pour ses « géoglyphes » ou sentiers cérémoniels tracés à la surface de la pampa, elle est aussi connue pour une abondante production de céramiques polychromes et de tissus aux couleurs voyantes.

Tiahuanaco : centrée sur le site éponyme qui a prospéré entre 300 et 1000 de notre ère, à proximité de la rive sud-est du lac Titicaca, ce fut pendant presque un millénaire une des cultures les plus influentes du monde andin. La cité de Tihuanaco a été la capitale d'un empire étendu sur l'*Altiplano* andin en contact – pas toujours pacifique – avec l'empire Huari.

Huari : important empire dont la capitale homonyme se situait non loin de l'actuel Ayacucho (Pérou). Sa domination s'étendait sur une grande partie de l'ancien Pérou, entre 500 et 900 de notre ère, ses élites entretenant des rapports étroits et parfois conflictuels avec l'empire contemporain de Tiahuanaco, dans l'actuelle Bolivie.

Sicán : culture développée dans la région de Lambayeque, à l'extrême nord de la côte péruvienne, entre 750 et 1375. Le principal site archéologique est celui de Batan Grande, dans la vallée du Leche. La culture Sicán est connue pour son orfèvrerie.

Chancay : culture développée sur la côte centrale du Pérou, entre 1000 et 1450 de notre ère, lorsque le secteur est absorbé par l'empire Inca. Elle est connue pour ses céramiques à décors brun foncé sur fond crème et pour ses magnifiques tissus.

Chimú : un des plus grands royaumes de la région andine, développé sur la côte septentrionale du Pérou, entre 1000 et 1450, sous la direction de la capitale Chan Chan — connue pour les magnifiques frises en terre de ses palais.

Ica-Chincha : culture développée sur la côte méridionale du Pérou, entre 1000 et 1476 de notre ère. Outre des céramiques raffinées à décor géométrique, ses artistes ont produit de magnifiques manteaux en coton ou en plumes, et d'élégantes pagaies cérémonielles en bois de Huarango.

Incas : peuple andin qui établit, entre le XIIIe et le XVIe siècle de notre ère, le plus grand empire de l'Amérique précolombienne, allant du nord du Chili à l'Équateur, et connu sous le nom de Tawantinsuyu [« Les-Quatre-Quarts-Ensemble »]. Au centre se trouvait la capitale de Cuzco.

De culturen van de Centrale Andes

Sechín: de naam Sechín verwijst naar één van de bekendste ontwikkelde culturen aan de kust van Peru in de beginperiode vanaf 2000 v.Chr. De bekendste site is de gelijknamige tempel van de Casma vallei.

Cupisnique: ontwikkelde zich vanaf 1500 v.Chr aan de noordkust van Peru en werd tussen 900 en 200 v.Chr. een kustelijke variatie van de Chavín cultuur, waarmee het sterke overeenkomsten op artistiek gebied vertoonde.

Vicus: cultuur die zich tussen 1000 en 300 v.Chr. ontwikkelde aan de noordkust van Peru. Voornamelijk bekend om de keramiek en de edelsmeedkunst. Vormde één van de funderingen van de beroemde Moche-cultuur.

Chavín: zich tussen 900 en 200 v.Chr. ontwikkelend in centraal-Andes, oefende deze cultuur een grote invloed uit op het Andes-gebied en kenmerkte zich door de vele afbeeldingen van bovennatuurlijke zoömorfische wezens. De belangrijkste archeologische site is Chavín de Huantar.

Paracas: cultuur die tussen 700 v.Chr. en 100 n.Chr. floreerde aan de zuidkust van Peru, onderverdeeld in twee periodes: Cavernas (700-200 v.Chr.) en Necropolis (200 v.Chr.-100 n.Chr.). Bekend om de in de necropolis van Wari Kayan buitengewone begrafenismantels.

Recuay: cultuur die zich tussen 200 v.Chr. en 600 n.Chr. ontwikkelde in de gebieden rondom Callejón de Huaylas, d.w.z. het hart van de voormalige Chavín cultuur.

Moche: cultuur die tussen 100 en 800 n.Chr. floreerde aan de noordkust van Peru en bekend staat om de gemodelleerde keramiekwerken en de kleding van goud en edelstenen teruggevonden in de adelijke tombes, zoals die van Sipán.

Nazca: cultuur die floreerde tussen het begin van het Christendom en 800 n.Chr. aan de noordkust van Peru. Wereldwijd beroemd om de geogliefen of ceremoniële paden, die zich aftekenen op de oppervlakte van de Pampa en ook bekend om de productie van grote hoeveelheden polychrome keramiekwerken en felgekleurde weefsels.

Tiwanaku: gecentreerd in de gelijknamige site, floreerde het tussen 300 en 1000 n.Chr. in de buurt van de zuidoostelijke oever van het Titicacameer, waar het bijna een millenium lang één van de invloedrijkste culturen van de Andes-wereld was. Tiwanaku was de hoofdstad van een grote imperiale formatie verspreid over een groot gedeelte van het Andes plateau en stond langdurig in contact, niet altijd vreedzaam, met het "aangrenzende" Wari-rijk.

Wari: belangrijk rijk dat, gecentreerd in de gelijknamige hoofdstad van het huidige Ayacucho (Peru), zijn heerschappij tussen 500 en 900 n.Chr. over grote delen van het oude Peru verspreidde, terwijl de elite nauwe, niet altijd vreedzame, betrekkingen onderhield met het toenmalige Tiwanaku rijk in het Boliviaanse gebied.

Sicán: cultuur die zich tussen 750 en 1375 n.Chr. ontwikkelde in het Lambayeque-gebied, in het uiterste noorden van de Peruaanse kust. De belangrijkste archeologische site is Batan Grande, in de Leche vallei. Staat internationaal bekend om de bijzondere edelsmeedkunst.

Chancay: cultuur ontwikkeld aan het centraal kustgebied van Peru tussen 1000 en 1450 n.Chr., toen het gebied werd ingelijfd bij het Incarijk. Bekend om haar typische keramiekwerken met decoraties in donkerbruine kleuren op crème achtergrond en om haar schitterende weefsels.

Chimú: één van de voornaamste rijken van het Andes-gebied. Ontwikkelde zich tussen 1000 en 1450 n.Chr. aan de noordkust van Peru, onder het beheer van de hoofdstad Chan Chan, bekend om de schitterende friezen van ruwe klei.

Ica-Chincha: cultuur die zich tussen 1000 en 1476 n.Chr. aan de zuidkust van Peru ontwikkelde. Naast de verfijnde keramiekwerken met geometrische decoraties, produceerden de kunstenaars van dit gebied schitterende mantels van katoen of veren en elegante ceremoniële peddels van Huarango hout.

Inca's: Andesvolk dat tussen de 13e en 16e eeuw het grootste imperium van pre-Colombiaans Amerika, dat zich uitstrekte vanaf het noorden van Chili tot aan Ecuador, in het leven riep en bekend stond onder de naam Tawantinsuyu "Land van de Vier Kwartieren" en in wiens centrum de hoofdstad Cuzco opdoemde.

Chavín culture / Chavín Kunst / Art Chavín
Representation of a feline deity holding a hallucinogenic cactus, stone
Darstellung einer Katzengottheit, die einen halluzinogenen Kaktus hält, Stein
Représentation d'une divinité monstrueuse saisissant un cactus hallucinogène, pierre
Weergave van een katachtige godheid die een hallucinogene cactus vasthoudt, steen
800-300 BC
Chavín de Huantar, Perú

▶ **Sechín culture / Sechín Kunst / Art du Cerro Sechín**
Armed warrior facing a heads-trophy, granite
Krieger mit Waffen vor den Trophäen-Köpfen, Granit
Guerriers en armes devant un trophée de têtes, granit
Gewapende krijger tegenover een trofeehoofd, graniet
2000-1000 BC
Cerro Sechín, Perú

Cupisnique culture, Tembladera style / Cupisnique Kunst, Tembladera-Stil / Art de Cupisnique, style de Tembladera / Cupisnique kunst, Tembladera stijl, Perú
Bottle with jaguar heads, ceramic, painted after firing
Flasche mit Jaguargesichtern, nach dem Brennen bemalte Keramik
Bouteille en forme de gueule de jaguar, céramique peinte après cuisson
Fles met de gelaten van jaguars, na het bakken beschilderd keramiek
900-400 BC
The Metropolitan Museum of Art, New York

Cupisnique culture, Tembladera style / Cupisnique Kunst, Tembladera-Stil / Art de Cupisnique, style de Tembladera / Cupisnique kunst, Tembladera stijl, Perú
Bottle in the form of a feline, ceramic, formed
Flasche in Form einer Katze, modellierte Keramik
Bouteille en forme de félin, céramique moulée
Fles in de vorm van een katachtige, gemodelleerd keramiek
800-400 BC
The Metropolitan Museum of Art, New York

Chavín culture / Chavín Kunst / Art Chavín, Perú
Pectoral with birds, beaten gold sheet
Pektoral mit Vögel, gestanztes Golblatt
Pectoral orné d'oiseaux, feuille d'or battue
Borstplaat met vogels, geslagen bladgoud
1000-400 BC
The Metropolitan Museum of Art, New York

Nasca culture / Nazca Kunst / Art de Nazca
Geoglyphs representing a spider, straight lines and intersections
Geoglyphen, die eine Spinne, gerade Linien und Plätze darstellen
Géoglyphe (lignes droites et placettes) représentant une araignée
Geogliefen die een spin weergeven, rechte en staande lijnen
100-400
Pampa de Ingenio, Nazca, Perú

◀ **Nasca culture / Nazca Kunst / Art de Nazca**
Geoglyph representing a humming bird
Geoglyphe, einen Kolibri darstellend
Géoglyphe représentant un colibri
Geoglief die een kolibrie weergeeft
100-400
Pampa de Ingenio, Nazca, Perú

◀ **Nasca culture / Nazca Kunst / Art de Nazca, Perú**
Two polychrome globular vases, with bridge handles, ceramic
Zwei runde Vasen mit Henkel in Form von Brücken, Keramik
Vases globulaires polychromes à anse en pont, céramique
Twee polychrome bolvazen met 'brug-hengsel', keramiek
100-400
Museo Preistorico ed Etnografico Pigorini, Roma

Nasca culture / Nazca Kunst / Art de Nazca, Perú
Anthropomorphic drum, ceramic, painted
Anthropomorphe Trommel, bemalte Keramik
Tambour anthropomorphe, céramique peinte
Antropomorfische trommel, beschilderd keramiek
50-100
The Metropolitan Museum of Art, New York

Nasca culture / Nazca Kunst / Art de Nazca, Perú
Cylindrical vase with chevron pattern decorations, ceramic, painted
Zylindrische Vase mit geometrischen *chevron* Dekorationen, bemalte Keramik
Vase cylindrique à décor géométrique de chevrons, céramique peinte
Cilindrische vaas met geometrische *chevron (zig-zag)* decoratie, beschilderd keramiek
300-700
Museo Preistorico ed Etnografico Pigorini, Roma

▶ **Nasca culture / Nazca Kunst / Art de Nazca, Perú**
Diadem with a supernatural face, hammered gold sheet
Diadem mit übernatürlichem Gesicht, gestanztes Goldblatt
Diadème orné d'un visage surnaturel, feuille d'or battue
Diadeem met bovennatuurlijk gelaat, geslagen bladgoud
200 BC-600 AD
Musée du Quai Branly, Paris

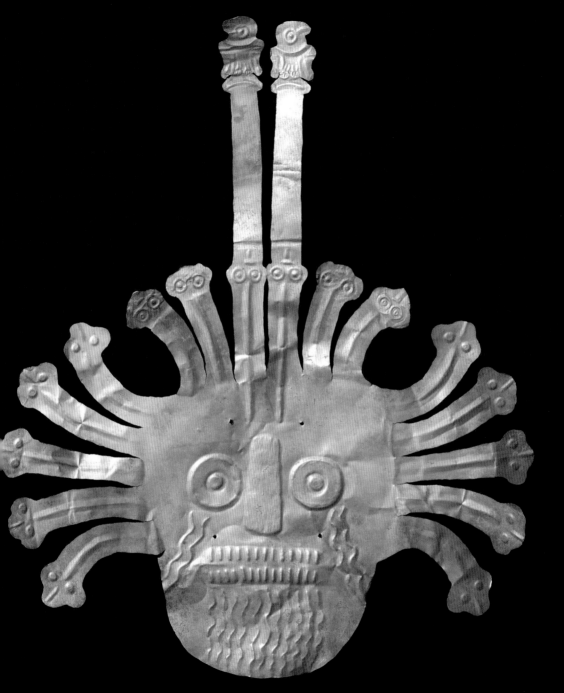

Moche culture / Moche Kunst / Art Mochica, Perú
Bottle in the form of a dignitary, ceramic, modelled and painted
Flasche mit Würdenträger, modellierte und bemalte Keramik
Bouteille anthropomorphe représentant un dignitaire, céramique
moulée et peinte
Fles met hoogwaardigheidsbekleder, gemodelleerd en beschilderd
keramiek
200-600
Ethnologisches Museum, Staatliche Museen zu Berlin, Berlin

Moche culture / Moche Kunst / Art Mochica, Perú
Vase in the form of a prisoner, ceramic, modelled and painted
Vase mit der Darstellung eines Gefangenen, modellierte und bemalte
Keramik
Vase anthropomorphe figurant un prisonnier derrière des barreaux,
céramique moulée et peinte
Vaas met weergave van een gevangene, gemodelleerd en beschilderd
keramiek
200-600
Ethnologisches Museum, Staatliche Museen zu Berlin, Berlin

Moche culture / Moche Kunst / Art Mochica, Perú
Bottle with the face of the sacrificial deity, ceramic, modelled and painted
Flasche mit dem Gesicht des Opfergottes, modellierte und bemalte Keramik
Bouteille, avec le visage du dieu sacrificateur, céramique moulée et peinte
Fles met het gelaat van de offergod, gemodelleerd en beschilderd keramiek
200-600
Museo Preistorico ed Etnografico Pigorini, Roma

Moche culture / Moche Kunst / Art Mochica, Perú
Bottle with a male portrait, ceramic, modelled and painted
Flaschenbild mit menschlichem Gesicht, modellierte und bemalte Keramik
Bouteille-portrait, avec un visage humain, céramique moulée et peinte
Fles-portret met mensengelaat, gemodelleerd en beschilderd keramiek
200-600
Ethnologisches Museum, Staatliche Museen zu Berlin, Berlin

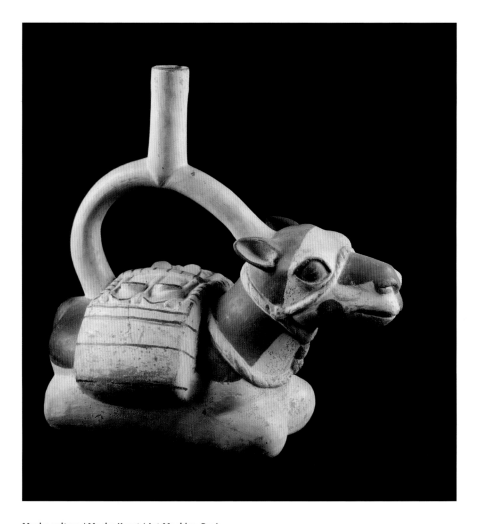

Moche culture / Moche Kunst / Art Mochica, Perú
Bottle in the form of a loaded llama, ceramic, modelled and painted
Flasche mit bepacktem Lama, modellierte und bemalte Keramik
Bouteille zoomorphe en forme de lama chargé, céramique moulée et peinte
Fles met beladen lama, gemodelleerd en beschilderd keramiek
400-600
Ethnologisches Museum, Staatliche Museen zu Berlin, Berlin

▶ **Moche culture / Moche Kunst / Art Mochica, Perú**
Vase in the form of a monkey, ceramic, modelled and painted
Flasche mit dem Bild eines Affen, modellierte und bemalte Keramik
Bouteille représentant un singe, céramique moulée et peinte
Fles met afbeelding van een aap, gemodelleerd en beschilderd keramiek
50-700
Musée du Quai Branly, Paris

Moche culture / Moche Kunst / Art Mochica, Perú
Bottle with images of supernatural runners-messengers, ceramic, modelled and painted
Flasche mit übernatürlichem Nachrichtenboten, modellierte und bemalte Keramik
Bouteille ornée de représentations de messagers surnaturels, céramique moulée et peinte
Fles met bovennatuurlijke sprinters-boodschappers, gemodelleerd en beschilderd keramiek
200-600
Ethnologisches Museum, Staatliche Museen zu Berlin, Berlin

Moche culture / Moche Kunst / Art Mochica, Perú
Bottle with a scene of a supernatural sacrifice, ceramic, modelled and painted
Flasche mit einer übernatürlichen Opferszene, modellierte und bemalte Keramik
Vase représentant une scène de sacrifice surnaturel, céramique moulée et peinte
Fles met bovennatuurlijke offerscène, gemodelleerd en beschilderd keramiek
200-600
Musée du Quai Branly, Paris

◀ **Moche culture / Moche Kunst / Art Mochica, Perú**
Bottle with a scene of human sacrifice in the mountains, ceramic, modelled and painted
Flasche mit Opferszene in den Bergen, modellierte und bemalte Keramik
Bouteille figurant une scène de sacrifice dans la montagne, céramique moulée et peinte
Fles met offerscène in de bergen, gemodelleerd en beschilderd keramiek
200-600
Ethnologisches Museum, Staatliche Museen zu Berlin, Berlin

Moche culture / Moche Kunst / Art Mochica, Perú
Dish with a scene of the capture of prisoners, ceramic, modelled and painted
Teller mit Szene der Festnahme der Gefangenen, bemalte Keramik
Coupe ornée d'une scène de capture de prisonniers, céramique moulée et peinte
Bord met scène van de gevangenneming van gevangenen, beschilderd keramiek
200-600
Ethnologisches Museum, Staatliche Museen zu Berlin, Berlin

▶ **Moche culture / Moche Kunst / Art Mochica, Perú**
Fragment of a diadem in the form of the decapitator deity, silvered copper with shell inserts
Teil des Diadems mit dem Gesicht des Enthauptungsgottes, gestanztes versilbertes Kupfer und Muscheleinsätzen
Élément de masque, avec le visage du dieu sacrificateur, cuivre argenté battu et incrustations dans un coquillage
Deel van een diadeem met het gelaat van de god van de onthoofding, geslagen verzilverd koper, ingelegd met schelp
100-300
The Metropolitan Museum of Art, New York

Moche culture / Moche Kunst / Art Mochica, Perú
Ornament in the form of a human face, gilded copper with shell inserts
Verzierung in Form eines menschlichen Gesichtes, vergoldetes Kupfer und Muscheleinsätzen
Ornement en forme de visage humain, cuivre doré et incrustations de coquillages
Ornament in de vorm van een mensengelaat, verguld koper, ingelegd met schelp
200-300
The Metropolitan Museum of Art, New York

▶ **Moche culture / Moche Kunst / Art Mochica, Perú**
Circular ornament with the representation of a crab, gilded copper
Runde Verzierung mit der Darstellung eines Krebs, vergoldetes Kupfer
Ornement circulaire avec une représentation de crabe, cuivre doré
Cirkelvormig ornament met weergave van een krab, verguld koper
100-300
The Metropolitan Museum of Art, New York

▶ **Moche culture / Moche Kunst / Art Mochica, Perú**
Earrings with images of supernatural runners-messengers, hammered gold, turquoise, sodalite and shell
Ohrringe mit übernatürlichem Nachrichtenboten, gestanztes Gold, Türkis, Sodalith, Muschel
Boucles d'oreilles ornées de messagers surnaturels, or battu, turquoise, sodalite et coquillage
Oorbellen met bovennatuurlijke sprinters-boodschappers, geslagen goud, turkoois, sodaliet, schelp
200-700
The Metropolitan Museum of Art, New York

Recuay culture / Recuay-Kunst / Art de Recuay / Recuay kunst, Perú
Bottle in the form of a warrior and a feline, ceramic, modelled and painted, with parts in negative
Flasche mit einem Bild von Katze und Krieger, modellierte und bemalte Keramik, mit Negativzeichnungen
Bouteille représentant un félin et un guerrier, céramique moulée et peinte, avec éléments de décor en « négatif »
Fles met afbeeldingen van een katachtige en een krijger, gemodelleerd en beschilderd keramiek, gedeeltelijk negatief
100-600
Musée du Quai Branly, Paris

Recuay culture / Recuay-Kunst / Art de Recuay / Recuay kunst, Perú
Bottle representing a person in a building, ceramic, modelled and painted, with parts in negative
Flasche mit der Darstellung einer Gestalt in einem Gebäude, modellierte und bemalte Keramik, mit Negativzeichnungen
Bouteille représentant un personnage dans un édifice, céramique moulée et peinte, avec des éléments en « négatif »
Fles met weergave van een individu in een gebouw, gemodelleerd en beschilderd keramiek, gedeeltelijk negatief
100-600
Ethnologisches Museum, Staatliche Museen zu Berlin, Berlin

Wari culture / Wari-Kunst / Art Huari / Wari kunst, Perú
Anthropomorphic bottle, ceramic, modelled and painted
Anthropomorphe Flasche, modellierte und bemalte Keramik
Bouteille anthropomorphe, céramique moulée et peinte
Antropomorfische vaas, gemodelleerd en beschilderd keramiek
600-1000
Musée du Quai Branly, Paris

Wari culture / Wari-Kunst / Art Huari / Wari kunst, Perú
Dignitary, wood, with applications of semi-precious stones, shells
and silver
Würdenträger, Holz mit Einsetzung von Halbedelsteinen, Muscheln
und Silber
Dignitaire, bois avec applications de pierres semi-précieuses,
de coquillages et d'argent
Hoogwaardigheidsbekleder, hout met applicaties van halfedelstenen,
schelpen en zilver
600-1000
Kimbell Art Museum, Fort Worth (TX)

Moche-Wari culture / Moche-Wari Kunst / Art Mochica-Huari, Perú
Tunic with geometric decoration, cloth of cotton and cameloid wool
Tunika mit geometrischen Motiven, Stoff aus Baum- und Kamelwolle
Tunique à motifs géométriques, tissu en coton et laine de camélidé
Tuniek met geometrische motieven, weefsel van katoen en wol van cameliden
600-900
The Metropolitan Museum of Art, New York

▶ **Nasca-Wari culture / Nazca-Wari Kunst / Art de Nazca-Huari, Perú**
Mantle, decorated with supernatural beings, feather mosaic, mounted on cotton cloth
Mantel mit übernatürlichen Wesen, Mosaik aus Federn auf Baumwollstoff
Manteau avec motifs figurant des êtres surnaturels, « mosaïque » de plumes sur tissu de coton
Mantel met bovennatuurlijke wezens, mozaïek van veren op weefsel van katoen
600-900
David Bernstein Gallery, New York

▶ **Wari culture / Wari-Kunst / Art Huari / Wari kunst, Perú**
Wall hanging, feather mosaic, mounted on cotton cloth
Wandverzierung, Mosaik aus Federn auf Baumwollstoff
Ornement de mur, « mosaïque » de plumes sur tissu de coton
Wandornament, mozaïek van veren op weefsel van katoen
600-900
The Metropolitan Museum of Art, New York

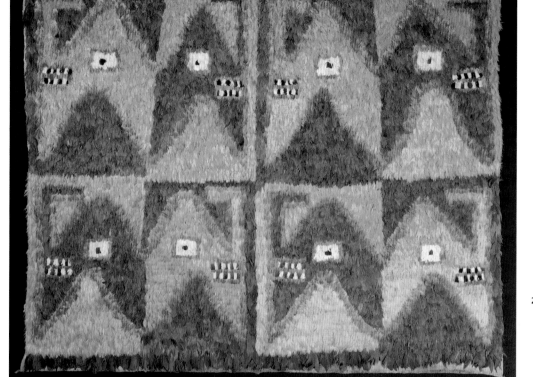

▮ "There [in Tiwanaku] there is also another great number of sculpted stones in the form of men and women, so natural that they seem alive [...]. Today the natives say that it is because of the great sins the people committed at that time [...] that they were transformed into those statues."

▮ "Dort [in Tiwanaku] stehen sehr viele Steinskulpturen von Männern und Frauen, so naturgetreu, dass sie lebendig scheinen [...]. Die heutigen Indios sagen, dass auf Grund der schweren Sünden der damaligen Menschen[...], diese in Statuen verwandelt wurden."

▮ "Là [à Tiahuanaco], il y a aussi une grande quantité de pierres sculptées en forme d'hommes et de femmes, si naturelles qu'elles paraissent vivantes [...]. Les Indiens d'aujourd'hui disent qu'à cause des grands péchés commis par les gens de cette époque [...] ils ont été changés en ces statues."

▮ "Daar [in Tiwanaku] is ook een grote hoeveelheid stenen, gebeeldhouwd in mannen- en vrouwenvormen, zo natuurlijk dat ze lijken te leven [...]. De hedendaagse Indianen zeggen, dat door de grote zondes die de mensen van toen begingen [...] zij in standbeelden werden veranderd."

Pedro Cieza de León

Tiwanaku culture / Tiwanaku Kunst / Art de Tihuanaco
Templo de Kalasasaya
500-900
Tiwanaku, Bolivia

▶ **Tiwanaku culture / Tiwanaku Kunst / Art de Tihuanaco**
Image of the staff-bearing god and his attendants on the Gateway of the Sun, stone
Bild des Gottes und seine Anhänger beim Sonnentor, Stein
Représentation du « dieu aux Bâtons » et de ses assistants, à la Porte du Soleil, pierre
Afbeelding van de God met de Staven en zijn bewakers voor de Poort van de Zon, steen
500-900
Tiwanaku, Bolivia

Tiwanaku culture / Tiwanaku Kunst / Art de Tihuanaco, Bolivia
Censer with feline, ceramic, painted
Räuchergefäß mit Katze, bemalte Keramik
Brûle-encens avec représentation de félin, céramique peinte
Wierookvat met katachtige, beschilderd keramiek
500-900
The Metropolitan Museum of Art, New York

Tiwanaku culture / Tiwanaku Kunst / Art de Tihuanaco, Bolivia
Vase in the form of a crouching llama, ceramic
Vase in Form eines gebeugten Lamas, Keramik
Vase zoomorphe en forme de lama accroupi, céramique
Vaas in de vorm van een gehurkte lama, keramiek
500-1000
Musée du Quai Branly, Paris

Sicán culture / Sicán Kunst / Art de Sicán, Perú
Kero (beaker) with a supernatural personage, hammered gold sheet
Kero, oder Zeremonienglas mit übernatürlicher Person, gestanztes Goldblatt
Kero (gobelet cérémoniel) décoré d'un personnage surnaturel, feuille d'or battue
Kero, of ceremoniële beker met bovennatuurlijke personen, geslagen bladgoud
900-1100
The Metropolitan Museum of Art, New York

Sicán culture / Sicán Kunst / Art de Sicán, Perú
Headdress or crown, hammered gold sheet
Kopfbedeckung oder Krone, gestanztes Goldblatt
Couvre-chef ou couronne, feuille d'or battue
Hoofddeksel of kroon, geslagen bladgoud
900-1100
The Metropolitan Museum of Art, New York

Sicán culture / Sicán Kunst / Art de Sicán, Perú
Couple of keros (ceremonial beakers), hammered gold sheet
Zwei Kero oder Zeremoniengläser, gestanztes Goldblatt
Paire de kero, ou gobelets cérémoniels, feuille d'or battue
Keros koppel, of ceremoniële bekers, geslagen bladgoud
900-1100
The Metropolitan Museum of Art, New York

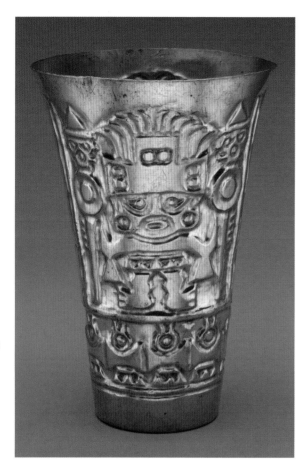 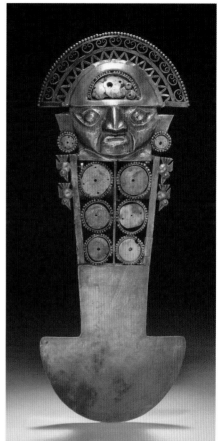

Sicán culture / Sicán Kunst / Art de Sicán, Perú
Kero (beaker) with a supernatural personage, hammered gold sheet
Kero, oder Zeremonieglas mit übernatürlicher Person, gestanztes Goldblatt
Kero décoré d'un personnage surnaturel, feuille d'or battue
Kero, of ceremoniële beker met bovennatuurlijke persoon, geslagen bladgoud
900-1100
The Metropolitan Museum of Art, New York

Sicán culture / Sicán Kunst / Art de Sicán, Perú
Tumi (ceremonial knife), hammered gold and turquoise
Tumi, oder Zeremoniemesser, gestanztes Gold und Türkis
Tumi, ou couteau cérémoniel, or battu et turquoise
Tumi, of ceremonieel mes, geslagen goud en turkoois
900-1100
The Metropolitan Museum of Art, New York

Sicán culture / Sicán Kunst / Art de Sicán, Perú
Funeral Mask, hammered gold sheet, copper and cinnabar
Todesmaske, gestanztes Goldblatt, Kupfer, Zinnober
Masque funéraire, feuille d'or battue, cuivre et cinabre
Dodenmasker, geslagen bladgoud, koper, cinnaber
900-1100
The Metropolitan Museum of Art, New York

Chimú culture / Chimú Kunst / Art Chimú, Perú
Bottle with stirrup handle, in the form of an enthroned personage on
a platform, hammered silver
Flasche mit stabförmigem Henkel, stellt eine Person im Thron auf eine
Plattform dar, gestanztes Silber
Bouteille à anse en étrier, représentant un personnage trônant sur
une plate-forme, argent battu
Fles met 'staaf-hengsel', die een persoon op troon op een platform
weergeeft, geslagen zilver
1000-1500
The Metropolitan Museum of Art, New York

◄ **Chimú culture / Chimú Kunst / Art Chimú, Perú**
Palacio Tschudi
Bas-reliefs, crude earth
Basreliefs, Schlamm
Bas-reliefs adobe
Bas-reliëfen, ruwe modder
1000-1500
Chan Chan, Perú

Chimú culture / Chimú Kunst / Art Chimú, Perú
Double bottle in the form of squashes, with stirrup handle, hand-
formed ceramic
Doppelte Flasche mit stabförmigem Henkel, in Form von Kürbisen,
modellierte Keramik
Bouteille à double corps en forme de courge, avec une anse en étrier,
céramique moulée
Fles met dubbele buik, met 'staaf-hengsel', in de vorm van
pompoenen, gemodelleerd keramiek
1000-1500
Museo Preistorico ed Etnografico Pigorini, Roma

Chimú culture / Chimú Kunst / Art Chimú, Perú
Anthropomorphic ceremonial beakers, hammered silver
Anthropomorphe Zeremoniengläser, gestanztes Silber
Gobelets cérémoniels anthropomorphes, argent battu
Antropomorfische ceremoniële bekers, geslagen zilver
900-1500
Ethnologisches Museum, Staatliche Museen zu Berlin, Berlin

Chimú culture / Chimú Kunst / Art Chimú, Perú
Vase in the form of an owl, hammered silver
Vase in Form eines Kauzes, gestanztes Silber
Vase zoomorphe en forme de chouette, argent battu
Vaas in de vorm van een uil, geslagen zilver
1300-1500
The Metropolitan Museum of Art, New York

Chimú culture / Chimú Kunst / Art Chimú, Perú
Disk, hammered silver
Diskus, gestanztes Silber
Disque, argent battu
Schijf, geslagen zilver
1300-1500
The Metropolitan Museum of Art, New York

Chimú culture / Chimú Kunst / Art Chimú, Perú
Ceremonial mantle, with supernatural being, birds and fishes, feather mosaic, mounted on cotton cloth
Zeremoniedecke mit übernatürlichem Wesen, Vögel und Fischen, Mosaik aus Federn auf Baumwollstoff
Manteau de cérémonie, à décor d'oiseaux, de poissons et d'êtres surnaturels, mosaïque de plumes sur tissu de coton
Ceremoniële mantel met een bovennatuurlijk wezen, vogels en vissen, mozaïek van veren op weefsel van katoen
900-1500
Dallas Museum of Art, Dallas (TX)

▶ **Chimú culture / Chimú Kunst / Art Chimú, Perú**
Tunic with geometric decoration, feather mosaic, mounted on cotton cloth
Tunika mit geometrischen Motiven, Mosaik aus Federn auf Baumwollstoff
Tunique décorée de motifs géométriques, mosaïque de plumes sur tissu de coton
Tuniek met geometrische motieven, mozaïek van veren op weefsel van katoen
900-1500
Musée du Quai Branly, Paris

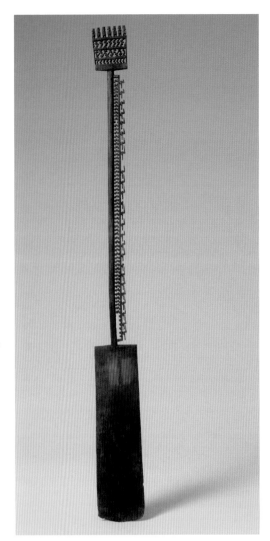

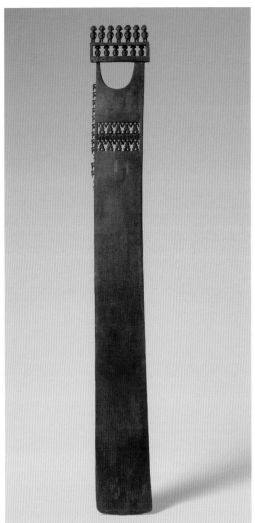

Ica-Chincha culture / Ica-Chincha Kunst / Art Ica-Chincha, Perú
Ceremonial centreboard, prosopis wood
Zeremonienboot, Holz aus Algarrobo (Prosopis sp.)
Dérive de cérémonie, bois d'algarobille (Prosopis sp.)
Ceremoniële kiel Deriva, hout uit Algarrobo (Prosopis sp)
1200-1600
Musée du Quai Branly, Paris

Ica-Chincha culture / Ica-Chincha Kunst / Art Ica-Chincha, Perú
Ceremonial oar, prosopis wood
Zeremonienruder, Holz aus Algarrobo (Prosopis sp.)
Rame de cérémonie, bois d'algarobille (Prosopis sp.)
Ceremoniële peddel, hout uit Algarrobo (Prosopis sp)
1200-1600
Musée du Quai Branly, Paris

Inca culture / Inka Kunst / Art inca / Inca kunst
Ramparts at Sacsahuamán, stone architecture
Schutzfestungen von Sacsayhuamán, Steinarchitektur
Bastions défensifs de Sacsahuamán, architecture en pierre
Verdedigende bastions van Sacsahuaman, steenarchitectuur
1400-1500
Sacsahuaman, Cuzco, Perú

◀ **Inca culture / Inka Kunst / Art inca / Inca kunst**
Citadel of Machu Picchu, stone architecture
Die kleine Stadt von Machu Picchu, Steinarchitektur
Citadelle de Machu Picchu, architecture en pierre
De citadel van Machu Picchu, steenarchitectuur
1400-1500
Machu Picchu, Perú

Inca culture / Inka Kunst / Art inca / Inca kunst, Perú
Male figure carrying an aryballos, ceramic, modelled and painted
Person die ein Aryballos transportiert, modellierte und bemalte Keramik
Personnage transportant un aryballe, céramique moulée et peinte
Persoon die een aryballos vervoert, gemodelleerd en beschilderd keramiek
1400-1500
Ethnologisches Museum, Staatliche Museen zu Berlin, Berlin

Chimú-Inca culture / Chimú Inka Kunst / Art Chimú-Inca / Chimú-Inca kunst, Perú
Double whistle bottle with bridge handle and an image of a warrior, hand-formed ceramic
Aerophone Flasche mit brückenförmigem Henkel und Bild eines Kriegers, modellierte Keramik
Bouteille-aérophone à double corps à anse en pont, avec représentation de guerrier, céramique moulée
Aerofoon-fles met dubbele buik met 'brug-hengsel' en afbeelding van een krijger, gemodelleerd keramiek
1000-1500
Musée du Quai Branly, Paris

▶ **Inca culture / Inka Kunst / Art inca / Inca kunst, Perú**
Kero (ceremonial beaker) with geometric decoration, wood, with engraved decoration
Kero, oder Zeremonienglas mit geometrischen Motiven, graviertes Holz
Kero, ou gobelet cérémoniel, à motifs géométriques, bois gravé
Kero, of ceremoniële beker met geometrische motieven, gegraveerd hout
1400-1600
Ethnologisches Museum, Staatliche Museen zu Berlin, Berlin

◀ **Inca culture / Inka Kunst / Art inca / Inca kunst, Perú**
Maize plant, hammered silver sheet
Maispflanze, gestanztes Silberblatt
Plant de maïs, feuille d'argent battue
Maïsplant, geslagen bladzilver
1400-1600
Ethnologisches Museum, Staatliche Museen zu Berlin, Berlin

▮ "With gold sheet they covered the temples of the sun and the royal dwellings, wherever they were. They put many figures of men and women and birds of the air and the water and fierce beasts [...], all of gold and silver, hollow and very natural in appearance and size. And they set them in the walls, in spaces and niches that they left for this purpose while building."

▮ "Mit Blattgold überzogen sie Sonnentempel und königliche Gebäude, wo immer sie auch standen. Sie platzierten viele Figuren von Männern und Frauen, Vögeln, Wasserlebewesen und wilden Tieren [...], alle aus Gold und Silber, hohl und naturgetreu in ihrem Aussehen und in ihrer Größe. Und sie stellten sie in die Wände, ins Innere von leeren Hohlräumen, die sie beim Bau zu ebendiesem Zweck gelassen hatten."

▮ "Ils recouvraient de plaques d'or les temples du Soleil et les résidences royales, où qu'elles fussent. Ils disposaient de nombreuses représentations d'hommes et de femmes, et d'oiseaux de l'air et de l'eau, et de bêtes féroces [...], toutes en or et en argent, creuses, et d'aspect et de taille naturels. Et ils les installaient dans les murs, dans des vides et des niches qu'ils ménageaient à cette fin en cours de construction."

▮ "Ze bedekten de tempel van de zon en de koninklijke verblijven met bladgoud, waar deze ook stonden. Ze plaatsten vele figuren van mannen en vrouwen, van lucht- en watervogels en van wilde dieren [...], allen van goud en zilver, hol en natuurlijk in uiterlijk en afmeting. Ze plaatsten ze in de muren, binnen in de leegtes en holtes, die ze bij de bouw voor dit doel hebben gelaten."
Garcilaso de la Vega

Inca culture / Inka Kunst / Art inca / Inca kunst, Perú
Male statuette, silver casting
Kleine männliche Figur, Silberguss
Figurine masculine, argent moulé
Mannenfiguurtje, gietwerk in zilver
1400-1600
Musée du Quai Branly, Paris

Chimú-Inca culture / Chimú Inka Kunst / Art Chimú-Inca / Chimú-Inca kunst, Perú
Male statuette, hammered and soldered gold sheet
Kleine männliche Figur, gestanztes und gelötetes Goldblatt
Figurine masculine, feuille d'or battue et soudée
Mannenfiguurtje, gesoldeerd en geslagen bladgoud
1400-1600
Musée du Quai Branly, Paris

Inca culture / Inka Kunst / Art inca / Inca kunst, Perú
Unku (tunic), cloth of cotton and cameloid wool
Unku oder Tunika, Stoff aus Baum- und Kamelwolle
Unku, ou tunique d'homme, tissu en coton et laine de camélidé
Unku, of tuniek, weefsel van katoen en wol van cameliden
1500-1600
Ethnologisches Museum, Staatliche Museen zu Berlin, Berlin

◀ **Inca culture / Inka Kunst / Art inca / Inca kunst, Perú**
Female statuette wearing cope and pin, gold casting, cloth of cameloid wool
Kleine weibliche Figur mit Kleid und Brosche, Goldguss, Stoff aus Kamelwolle
Figurine féminine, avec habit et broche, or moulé, tissu en laine de camélidé
Vrouwenfiguurtje met jurk en een speld, gietwerk in goud, weefsel van wol van cameliden
1400-1600
Ethnologisches Museum, Staatliche Museen zu Berlin, Berlin

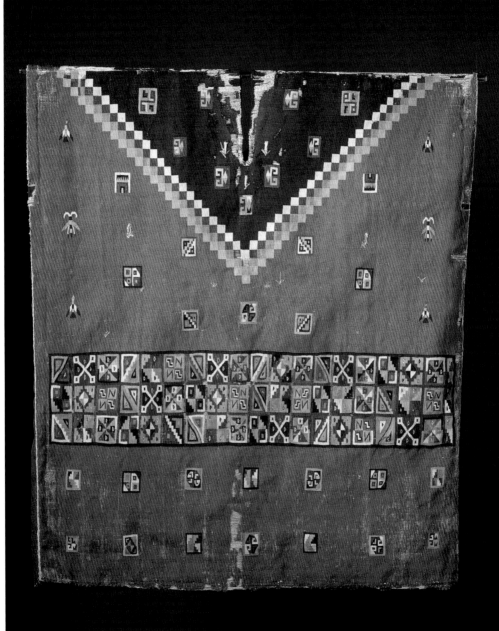

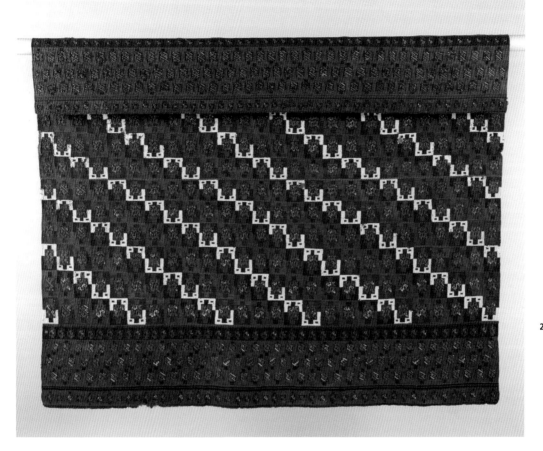

Chuquibamba culture / Chuquibamba Kunst / Art de Chuquibamba, Perú
Woman's mantle, cloth of cameloid wool
Weibliche Decke, Stoff aus Kamelwolle
Manteau de femme, tissu en laine de camélidé
Vrouwenmantel, weefsel van katoen en wol van cameliden
1300-1600
The Metropolitan Museum of Art, New York

◄ **Inca culture / Inka Kunst / Art inca / Inca kunst, Perú**
Unku (tunic), cloth of cotton and cameloid wool
Unku oder Tunika, Stoff aus Baum- und Kamelwolle
Unku, ou tunique d'homme, tissu en coton et laine de camélidé
Unku, of tuniek, weefsel van katoen en wol van cameliden
1500-1600
Ethnologisches Museum, Staatliche Museen zu Berlin, Berlin

Inca culture / Inka Kunst / Art inca / Inca kunst, Perú
Headdress, cloth of cameloid wool, with feathers
Kopfbedeckung, Kamelwolle und Federn
Couvre-chef, laine de camélidé et plumes
Hoofddeksel, wol van cameliden en veren
1400-1600
David Bernstein Gallery, New York

◀ **Inca culture / Inka Kunst / Art inca / Inca kunst, Perú**
Headdress, cloth of cameloid wool, with feathers
Kopfbedeckung, Kamelwolle und Federn
Couvre-chef, laine de camélidé et plumes
Hoofddeksel, wol van cameliden en veren
1400-1600
David Bernstein Gallery, New York

Chronology
Chronologie

8000 BC	▪ Domestication of plants in Mesoamerica and the Andes began.	▪ Beginn der Domestizierung von Pflanzen in Mesoamerika und im Andenraum.	▪ Début de la domestication des plantes en Mésoamérique et dans l'aire andine.	▪ Begin van de domesticatie van planten in Meso-Amerika en in het Andes-gebied.
3000 BC	▪ Construction of public buildings along the Peruvian coast began.	▪ Beginn der Errichtung öffentlicher Gebäude an der peruanischen Küste.	▪ Début de la construction des édifices publics sur la côte péruvienne.	▪ Begin van de bouw van openbare gebouwen aan de Peruaanse kust.
2500 BC	▪ The first sedentary villages were established in Central Mexico, Oaxaca, the Costa del Chiapas and in Guatemala.	▪ Entstehung der ersten Siedlungen im zentralen Mexiko, Oaxaca und an den Küsten von Chiapas und Guatemala.	▪ Naissance des premiers villages sédentaires dans le centre du Mexique , en Oaxaca et sur la côte du Chiapas et du Guatemala.	▪ Ontstaan van de eerste sedentaire steden in het Centrum van Mexico, in Oaxaca en aan de Kust van Chiapas en Guatemala.
1250 BC	▪ Development of villages such as Tlatilco and Tlapacoya in Central Mexico.	▪ Entstehung von Siedlungen wie Tlatico und Tlapacoya im zentralen Mexiko.	▪ Développement de villages comme Tlatilco et Tlapacoya au centre du Mexique .	▪ Ontwikkeling van steden als Tlatilco en Tlapacoya in het Centrum van Mexico.
1200 BC	▪ Birth of the Olmec culture on the Gulf Coast of Mexico.	▪ Anfänge der Olemken Kultur an der Küste des Golfes von Mexiko.	▪ Début du développement de la culture Olmèque sur la côte du Golfe du Mexique.	▪ Begin van de ontwikkeling van de Olmeekse cultuur aan de Golfkust van Mexico.
900 BC	▪ Birth of the Chavín culture in Peru.	▪ Anfänge der Chavín Kultur in Peru.	▪ Début du développement de la culture Chavín au Pérou.	▪ Begin van de ontwikkeling van de Chavín-cultuur in Peru.
900 BC	▪ Construction of the first monumental Maya centres in Belize and the Central Lowlands (Nakbe and El Mirador).	▪ Entstehung der ersten monumentalen Zentren der Maya in Belise und im sogenannten zentralen Tiefeland (Nakbe und El Mirador).	▪ Les premiers centres monumentaux Mayas apparaissent au Belize et dans les dénommés Bas-plateaux centraux (Nakbe et El Mirador).	▪ Oprijzen van de eerste monumentale Maya-centra in Belize en in de zogenoemde Centrale Laagvlaktes (Nakbe en El Mirador).
400 BC	▪ Development of the Chupicuaro culture (western Mesoamerica).	▪ Anfänge der Chupicuaro Kultur (westliches Mesoamerika).	▪ Développement de la culture Chupicuaro (Mésoamérique occidentale).	▪ Ontwikkeling van de Chupicuaro-cultuur (west Meso-Amerika).

400 BC	■ Decline of the Olmec and development of the Epi-Olmec cultures (Tres Zapotes).	■ Untergang der Olmeken Kultur und Anfänge der epi-olmekischen Kultur (Tres Zapotes).	■ Déclin de la culture Olmèque et développement de la culture Epi-olmèque (Tres Zapotes).	■ Verval van de Olmeekse cultuur en ontwikkeling van de Epi-Olmeekse cultuur (Tres Zapotes).
400 BC	■ Growth of the Zapotec culture. Monte Albán became the most important city of the Central Valleys of Oaxaca.	■ Anfänge der Zapoteken Kultur. Monte Albán wird zur wichtigsten Stadt der zentralen Täler von Oaxaca.	■ Développement de la culture Zapotèque. Monte Albán devient la ville la plus importante des Vallées centrales d'Oaxaca.	■ Ontwikkeling van de Zapoteekse cultuur. Monte Albán wordt de belangrijkste stad van de Centrale Valleien van Oaxaca.
200 BC	■ Development of the Shaft Tomb culture in Western Mesoamerica.	■ Entstehung der Grubengräber im westlichen Mesoamerika.	■ Développement de la culture des Tombes à Pozzo en Mésoamérique occidentale.	■ Ontwikkeling van de Schachttombecultuur in west Meso-Amerika.
200 BC	■ Introduction of agriculture in the principal cultural areas of North America.	■ Einführung der Landwirtschaft in den wichtigsten Kulturgebieten Nordamerikas.	■ Introduction de l'agriculture dans les principales aires culturelles nord-américaines.	■ Introductie van de landbouw in de belangrijkste Noord-Amerikaanse culturele gebieden.
200 BC	■ Start of the First Intermediate Period, an epoch of flourishing regions in the Andes.	■ Beginn der Ersten Zwischenzeit, Epoche der regionalen Blütezeit in den Anden.	■ Début de la Première période intermédiaire, époque de floraison régionale dans le monde andin.	■ Begin van de Eerste Tussenperiode, regionale bloeitijdperk van de Andes-wereld.
0	■ Eruption of the volcano Xitle in Central Mexico. Cuicuilco abandoned and beginning of the great development of Teotihuacan.	■ Ausbruch des zentralmexikanischen Vulkans Xitle. Flucht aus Cuicuilco und Beginn der großartigen Entwicklung von Teotihuacan.	■ Eruption de volcan Xitle au centre du Mexique. Abandon de Cuicuilco et début du grand développement de Teotihuacan.	■ Uitbarsting van de vulkaan Xitle in het Centrum van Mexico. Einde van de Cuicuilco en begin van de grote ontwikkeling van Teotihuacan.
1-100	■ Construction of the Pyramid of the Sun and the Pyramid of the Moon in Teotihuacan.	■ Bau der Sonnen- und Mondpyramiden in Teotihuacan.	■ Construction des Pyramides du Soleil et de la Lune de Teotihuacan.	■ Bouw van de Piramides van de Zon en van de Maan van Teotihuacan.

200	▌Development of the Teuchitlán culture in Western Mesoamerica.	▌Anfänge der Teuchitlán Kultur im westlichen Mesoamerika.	▌Développement de la culture Teuchitlán en Mésoamerique occidentale.	▌Ontwikkeling van de Teuchitlán-cultuur in west Meso-Amerika.
292	▌Oldest date inscribed on a Maya stele (stele no. 29 of Tikal).	▌Ältestes Datum auf einer Maya Stele (Stele 29 von Tikal).	▌Date de la stèle maya la plus ancienne (stèle 29 de Tikal).	▌Oudste datum vermeld op een Maya-stèle (stèle 29 van Tikal).
300	▌Beginning of the expansion of Tiwanaku on the Bolivian highlands.	▌Beginn der Expansion von Tiwanaku auf dem bolivianischen Hochland.	▌Début de l'expansion de Tiwanaku sur le haut-plateau bolivien.	▌Begin van de uitbreiding van Tiwanaku over de Boliviaanse Hoogvlakte.
300	▌Decline of the Chupicuaro culture (Western Mexico).	▌Niedergang der Chupicuaro Kultur (westliches Mexiko).	▌Déclin de la culture Chupicuaro (Mexique occidental).	▌Verval van de Chupicuaro-cultuur (West-Mexico).
300	▌Development of the Chalchihuites culture in Northern Mesoamerica.	▌Anfänge der Chalchihuites Kultur im nördlichen Mesoamerika.	▌Développement de la culture Chalchihuites en Mésoamérique septentrionale.	▌Ontwikkeling van de Chalchihuites-cultuur in noord Meso-Amerika.
534-593	▌Temporary interruption of the construction of monuments with inscriptions in Tikal (Maya area).	▌Kurzfristige Bauunterbrechung von Monumenten mit Inschriften in Tikal (Maya Gebiet).	▌Interruption temporaire de la construction des monuments portant des inscriptions, de Tikal (aire Maya).	▌Tijdelijke onderbreking van de bouw van de monumenten met inscripties in Tikal (Maya- gebied).
550	▌A great fire burned Teotihuacan. The decline of the city began.	▌Teotihuacan wird von einem Großbrand heimgesucht. Von diesem Zeitpunkt an beginnt der Niedergang der Stadt.	▌Grand incendie à Teotihuacan. Dès lors, la ville commence à décliner.	▌Teotihuacan wordt getroffen door een grote brand. Vanaf dat moment begint het verval van de stad.
600	▌Diffusion of the Wari Empire in the Andes.	▌Expansion des Wari Reiches im Andenraum.	▌Diffusion de l'empire Wari dans l'aire andine.	▌Verspreiding van het Wari-rijk in het Andes-gebied.
600	▌Decline of the Shaft Tomb culture in western Mesoamerica.	▌Niedergang der Grubengräberkultur im westlichen Mesoamerika.	▌Déclin de la culture des Tombes à Pozzo en Mésoamérique occidentale.	▌Verval van de Schachttombecultuur in west Meso-Amerika.

600-650	▌ Development of Xochicalco, Cacaxtla and Teotenango in Central Mexico and of El Tajín on the Gulf Coast.	▌ Entstehung von Xochicalco, Cacaxtla und Teotenango im zentralen Mexiko und von Tajín an der Golfküste.	▌ Développement de Xochicalco, Cacaxtla et Teotenango au centre du Mexique et de Tajín sur la Côte du Golfe.	▌ Ontwikkeling van Xochicalco, Cacaxtla en Teotenango in het Centrum van Mexico en van Tajín aan de Golfkust.
700	▌ Birth of the principal cultural traditions of the American Southwest.	▌ Entstehung der wichtigen kulturellen Traditionen in Südwest-Amerika.	▌ Naissance des principales traditions culturelles du sud-ouest américain.	▌ Ontstaan van de belangrijkste culturele tradities van Zuidwest-Amerika.
700	▌ Beginning of the period of greatest extension of the Central American reigns.	▌ Beginn des Zeitalters der Hochblüte mittelamerikanischer Stadtherrschaften.	▌ Début de la période de grand développement des royaumes centro-américains.	▌ Begin van de periode van de enorme ontwikkeling van de Centraal-Amerikaanse heerschappijen.
800	▌ Beginning of the Taino culture in the Antilles.	▌ Beginn der Taino Kultur auf den Antillen.	▌ Début de la culture Taino aux Antilles.	▌ Begin van de Taíno-cultuur in de Antillen.
800	▌ Decline of Monte Albán.	▌ Niedergang von Monte Albán.	▌ Décadence de Monte Albán.	▌ Verval van Monte Albán.
800	▌ Diffusion of the Chenes, Rio Bec and Puuc styles in northern Yucatan.	▌ Verbreitung der Stile Chenes, Rio Bec und Puuc im Norden von Yucatan.	▌ Diffusion des styles Chenes, Rio Bec et Puuc dans le nord du Yucatan.	▌ Verspreiding van de stijlen Chenes, Rio Bec en Puuc in het noorden van Yuacatán.
900	▌ Decadence began in many Maya centres of the Tierras Bajas in the South, known as the Maya collapse.	▌ In vielen Maya Zentren der Tierras Bajas im Süden beginnt ein Prozess des Verfalls, der auch der "Kollaps der Maya" genannt wird.	▌ Dans de nombreux centres Mayas des Tierras Bajas du sud commence un processus de décadence, appelé le « collapsus Maya ».	▌ In veel Maya-centra van de zuidelijke 'Tierres Bajas', begint een vervalproces, die het "Maya Verval" wordt genoemd.
900	▌ End of the Wari Empire in the Andes and beginning of new regional developments.	▌ Ende des Wari Reiches im Andenraum und Beginn einer neuen regionalen Blütezeit.	▌ Fin de l'empire Wari dans l'aire andine et début d'une nouvelle floraison régionale.	▌ Einde van het Wari-rijk in het Andes-gebied en begin van een nieuwe regionale bloei.
900	▌ Chichén Itzá became the most important city of Yucatan (Mexico).	▌ Chichén Itzá wird die wichtigste Stadt von Yucatan (Mexiko).	▌ Chichén Itzá devient la cité la plus importante du Yucatan (Mexique).	▌ Chichén Itzá wordt de belangrijkste stad van Yuacatán (Mexico).

900	▮ Tula began to develop in Central Mexico.	▮ Beginn der Entstehung von Tula im zentralen Mexiko.	▮ Début du développement de Tula au centre du Mexique.	▮ Begin van de ontwikkeling van Tula in het Centrum van Mexico.
900	▮ Small territorial lordships began to emerge in the area of Oaxaca, the most important of which were those of the Mixtec highlands.	▮ Im Gebiet von Oaxaca entwickeln sich kleine lokale Stadtherrschaften, darunter sind jene der Mixteca Alta wichtig.	▮ Dans la zône de Oaxaca se développent de petits royaumes territoriaux, dont, parmi les plus importants, ceux de la Mixteca Alta.	▮ In het Oaxaca-gebied ontwikkelen zich kleine territoriale heerschappijen, waarvan de Hoog-Mixteekse één van de belangrijkste was.
909	▮ Most recent date inscribed on a Maya stele using the Long Count calendar.	▮ Jüngstes Datum auf einer Maya Stele unter Verwendung der Langen Zählung.	▮ Date de la stèle maya la plus récente selon le Compte Long.	▮ Meest recente datum vermeld op een Maya-stèle, gebruik makend van de Lange Telling.
1150	▮ Decadence of Tula.	▮ Untergang Tulas.	▮ Décadence de Tula.	▮ Verval van Tula.
1200	▮ Development of the Tarascan or Purepecha culture in Western Mesoamerica.	▮ Entwicklung der Tarasken oder Purepecha Kultur im westlichen Mesoamerika.	▮ Développement de la culture Tarasca et Prepecha, en Mésoamérique occidentale.	▮ Ontwikkeling van de Tarasken of de Purépecha in west Meso-Amerika.
1250	▮ Decadence of Chichén Itzá and fragmentation of the northern Maya area into small states. Mayapan became the capital of Yucatan.	▮ Untergang von Chichén Itzá und Aufteilung des nördlichen Maya Gebietes in kleine politische Einheiten. Mayapan wird die Hauptstadt Yucatans.	▮ Décadence de Chichén Itzá et fragmentation du nord de l'aire Maya en petites entités politiques. Mayapan devient la capitale du Yucatan.	▮ Verval van Chichén Itzát en de fragmentatie van het Noorden van het Maya-gebied in kleine politieke eenheden. Mayapan wordt de hoofdstad van Yucatán.
1325	▮ Founding of Mexico-Tenochtitlan, the Aztec capital.	▮ Gründung der aztekischen Hauptstadt Mexiko-Tenochtitlan.	▮ Fondation de Mexico-Tenochtitlan, capitale aztèque.	▮ Oprichting van Mexico-Tenochtitlan, Azteekse hoofdstad.
1350	▮ Formation of the modern Puebloans in the Southwest of the United States.	▮ Entstehungsphase der modernen Pueblos im Südwesten der Vereinigten Staaten.	▮ Période de formation des Pueblos modernes dans le sud-ouest des Etats-Unis.	▮ Formatieperiode van de moderne Pueblo's in het zuidwesten van de Verenigde Staten.
1450	▮ Mayapan ceased to be capital of Yucatan.	▮ Mayapan verliert seine Rolle als Hauptstadt Yucatans.	▮ Mayapan cesse de tenir le rôle de capitale du Yucatan.	▮ Mayapan verliest haar rol als hoofdstad van Yucatán.

1428	▮ Tenochtitlan formed the so-called Triple Alliance with Tezcoco and Tlacopan, which dominated the lands of the Aztec empire.	▮ Tenochtitlan bildet gemeinsam mit Tezcoco und Tlacopan die Dreifache Allianz, die das Territorium des aztekischen Reiches beherrschen wird.	▮ Tenochtitlan forme avec Tezcoco et Tlacopan la Triple Alliance, qui dominera les territoires de l'empire aztèque.	▮ Tenochtitlan vormt samen met Tezcoco en Tlacopan de zogenoemde Azteekse Driebond, die de gebieden van het Azteekse rijk zouden beheren.
1450	▮ The Incas conquered most of the Peruvian coast.	▮ Die Inka erobern Großteil der peruanischen Küste.	▮ Les Incas conquièrent une grande partie de la côte péruvienne.	▮ De Inca's veroveren grote delen van de Peruaanse kust.
1492	▮ Christopher Columbus encountered the Tainos.	▮ Christoph Colombus trifft auf die Taíno.	▮ Christophe Colomb rencontre les Tainos.	▮ Christoffel Columbus ontmoet de Taíno.
1521	▮ Hernan Cortes conquered the Aztec capital of Mexico-Tenochtitlan.	▮ Hernán Cortés erobert die aztekische Hauptstadt Mexico-Tenochtitlan.	▮ Hernan Cortés conquiert Mexico-Tenochtitlan, la capitale aztèque.	▮ Hernán Cortés verovert de Azteekse hoofdstad Mexico-Tenochtitlan.
1533	▮ Spanish conquest of Cuzco, the capital of the Inca.	▮ Die Spanier erobern die Inka Hauptstadt Cuzco.	▮ Les Espagnols conquièrent Cuzco, la capitale inca.	▮ De Spanjaarden veroveren Cuzco, hoofdstad van het Inca-rijk.
1539	▮ Hernando de Soto explored the southeastern area of the United States.	▮ Hernando de Soto erforscht den Südosten der Vereinigten Staaten.	▮ Hernando de Soto explore le sud-est des Etats-Unis.	▮ Hernando de Soto verkent het zuidoosten van de Verenigde Staten.
1539	▮ Friar Marcos de Niza visited the pueblos of the Southwest.	▮ Fra' Marco da Nizza besucht die Dörfer der Pueblos im Südwesten.	▮ Fra' Marco da Nizza visite les villages Pueblos du sud-ouest.	▮ Fray Marcos de Niza bezoekt de zuidwestelijke Pueblo-steden.
1542	▮ Mani, the last Maya capital of Yucatan, fell to Montejo.	▮ Manì, die letzte Maya Hauptstadt auf Yucatan, fällt in die Hände von Montejo.	▮ Mani, dernière capitale Maya du Yucatan, tombe entre les mains de Montejo.	▮ Manì, laatste Maya-hoofdstad van Yucatán, valt in handen van Montejo.
1697	▮ Defeat of the last independent Maya reign and fall of its capital Tayasal.	▮ Niederlage des letzten unabhängigen Maya Reiches und Fall seiner Hauptstadt Tayasal.	▮ Défaite du dernier règne Maya indépendant et chute de sa capitale, Tayasal.	▮ Nederlaag voor het laatste onafhankelijke Maya-rijk en het verval van haar hoofdstad Tayasal.

Glossary

Almena: a roof ornament, positioned on top of a building, similar to an Etruscan antefix.

Aryballos: a large vase for liquids from the Inca period used to store water or chicha (a beverage obtained from fermented corn). Two small handles at the sides and a knob on the body made it possible to transport the vase with a tumpline. The name derives from the similarity, albeit merely in shape, to Greek vases of the same form.

Atlante: a statue with the function of a column, the male version of the caryatid. The name derives from the giant Atlas who, after having participated in the revolt of the Titans, was condemned by Jupiter to sustain the world on his shoulders. In Mesoamerica the use of atlantes, usually representing warriors, was particularly widespread during the Post Classic period.

Bannerstone: small sculptures made of various types of stone, in use for a long period in prehistoric North America. It is believed that they were weights for use with flingers or spear-throwers, but the aesthetic quality of the objects suggests that they may also have had an emblematic or symbolic significance.

Bridge handle: a curved handle, usually with an elliptical section, unites the two spherical bodies of double bottles common along the northern coast of Peru.

Cameloids: four mammals of the Andes that belong to the cameloid family. These are the llama (*Lama glama*), guanaco (*Lama guanicoe*), vicuna (*Vicugna vicugna*) and alpaca (*Vicugna pacos*). In ancient times these animals were used for their meat and their wool. Only the alpaca and the llama were domesticated. The llama was also widely used as a pack animal.

Chac-Mool: a sculpture of a reclining human figure, lying on its back, whose stomach forms a surface for presenting offerings to the gods. It originated in northern Mesoamerica and then spread out among the Post Classic Mesoamerican cultures (1250-1521).

Cihuatéotl: the name that the Aztecs gave to women who died in their first childbirth and were deified. They were responsible for accompanying the sun during its nighttime journey.

Coyolxauhqui: the Aztec lunar goddess, sister of Huitzilopochtli, god of the sun and of war, who killed her and cut her to pieces.

Cuauhxicalli: meaning the eagle bowl, a stone recipient where the hearts of sacrificial victims were deposited and was often in the form of an eagle.

Decapitor deity: the principal deity of the Moche culture to whom the complex rite, involving the capture and sacrifice of prisoners of war, was probably dedicated. Numerous polychrome bas-reliefs of this deity have been found in the temple complex of Huaca de la Luna.

Duho or Dujo: a sculpted wooden seat in the form of humans or animals used by the Taino chieftains of the Antilles. The beings probably represented idols (*zemi*) or deified ancestors. Christopher Columbus also observed the use of duhos.

Eccentric: a stone object known in the Maya area. It takes its name from its strange form, sometimes linked to the representation of rulers or gods. The function of these objects is not yet known with certainty; some authors believe they were insignia of power.

Hacha: an almost flat stone object that takes its name from the resemblance to stone hatchets. Together with the palm and the girdle (*yugo*) it belongs to the set of objects related to the game of pelota. It may be a representation of the instruments used for human sacrifice connected with the game.

Kero: the name of conical beakers of ceramic or wood used in the Andes to drink chicha. The keros were often made in identical couples intended for toasts with political and religious significance. During the early colonial era a vast production of wooden keros with polychrome painted decorations was organised.

Lost wax: a casting method based on covering a clay core with wax, which was sculpted to the desired form of the object. This in turn covered with another layer of clay, however introducing access channels for pouring in the molten metal that melted and replaced the wax in the space between the two layers of clay and took on the form of the wax model. This system was widely used throughout the Americas for casting gold and copper-gold alloys and was a fundamental technique of the great goldsmithery of Central America and the northern Andes.

Mica: a mineral of the phyllosilicate group characteristic for its transparency and the formation of thin sheets that are easily separated one from another. In ancient America it was carved into various forms and also used for paving.

Negative decoration: a painting technique that consists of surrounding the desired decorative motif with a dark colour so that it stands out against a dark background. Often the decorative motif was covered with wax or resin to protect it while laying on the dark colour.

Palm: a long narrow stone element, occasionally broader at the extremities. Together with the *hacha* and the girdle (*yugo*) it belongs to the set of objects related to the game of pelota. It may represent a protective element used by the players.

Quetzalcoatl: the figure of the Plumed Serpent (Quetzalcoatl) appeared as early as the Teotihuacan era and, through the Toltecs, was absorbed by the Aztecs who considered it more similar to a god than a mythical being. As a god Quetzalcoatl created man and gave him the corn stolen from the gods. Quetzalcoatl can take on the semblance of Venus as the morning star and can unite with other gods such as Ehecatl, the god of wind. As a mythical being, with the name of Ce Acatl Topilzin Quetzalcoatl, he was the governor of Tollan, the archetype of the Mesoamerican city.

Quipu: a device used in the Andes to record accounting information based on a decimal counting system, consisting of knotted cords. Although numerous colonial sources agree that quipus were also used to record historical and genealogical facts, to date it has not been possible to decipher any non-numerical quipu.

Stirrup handle: a tubular, semicircular handle with a vertical spout usually mounted at the top of a container for liquids. The handle is therefore actually a part of the bottle because the liquid flows through it when poured out.

Tembladera: a Chavín type ceramic typical of this Peruvian valley.

Tezcatlipoca: Tezcatlipoca (smoking mirror) is the antagonist of Quetzalcoatl, both as a mythological figure and as a deity. He is one of the gods who created the four eras that preceded the current one of the Fifth Sun. He can be represented in various ways but is generally associated with war and the forces of the night. He is often depicted with a serpent in place of a foot. Another of his symbols is the mirror where human destiny can be observed, representing the capacity to control the forces of creation and destruction.

Tlaloc: the Aztec god of water and rain.

Trigonolite: a Taino stone sculpture representing Yúcahu, the spirit of manioca, usually buried in the fields to increase their fertility.

Tumbaga: an alloy of copper and gold that was widely used in pre-Hispanic Andean metalwork, usually in the proportion of 10% gold and 90% copper. Small variations of the proportions of the two metals made it possible to obtain different chromatic effects. Sometimes vegetal acids were used to corrode the copper surface so that only the gold was visible.

Tumi: a knife with a typically crescent shaped blade of gold, copper, bronze or silver used in the pre-Hispanic Andean world. Some ceremonial tumi from the northern coast of Peru, used for sacrifices, have complex handles that represent deities.

Unku: a term from the Quechua language that refers to the typical male tunic worn in the Andes, made of cotton or cameloid wool, consisting of a single piece of fabric with a central opening for the head.

The sides were sewn together leaving two spaces for the arms. The unkus with complex geometric decorations were among the most prestigious of objects in the Andes both in the pre-Hispanic and the early colonial eras.

Urn: the name given to the typical ceramic vases of the Zapotec culture, often found in their tombs. Their function is not yet known. They were probably not urns as such but rather ritual objects that contained offerings.

Whistle bottle: bottles in use in the Andes, they were formed so that the air entering in place of the liquid activated a sort of whistle, creating a musical effect that accompanied the act of pouring.

Xipe Totec: Aztec god of spring and regeneration. He is depicted wearing the skin of sacrificial victims.

Xiuhmolpilli: a bundle of canes representing a complete, fifty-two year cycle of the Aztec calendar, similar to the modern century.

Yugo: a term used to identify a stone object depicting one of the protections that players of Mesoamerican pelota wore. Too heavy to be actually used, these objects may have had ritual functions. A great quantity of these objects, together with the *hachas* and *palmas*, has been found in the area of the Gulf of Mexico.

Zemi: a term of the Taino language that refers to a broad category of gods, spirits and deified ancestors and also to their artistic representation in the form of small idols usually made of wood, stone or bone.

Glossar

Aerophon-Flasche: in den Anden weitverbreitete Flaschen, in die beim Ausschütten des Inhalts Luft eindringt, wobei ein Pfeifton erzeugt wird und somit ein musikalischer Effekt entsteht, der das Ausgießen der Flüssigkeit begleitet.

Almena: Zinne, Dachdekoration oben an Gebäuden, ähnlich den etruskischen Stirnziegeln.

Aryballos: großer Krug aus der Inka-Zeit für Flüssigkeiten wie Wasser oder Chica (Getränk, das aus der Maisgärung gewonnen wird). Zwei kleine Seitengriffe und eine Wölbung des Gefäßes erlaubten seinen Transport mittels Stirnband. Seinen Namen verdankt er seiner Ähnlichkeit mit dem gleichnamigen griechischen Vasentyp.

Atlas: Statue mit Stützfunktion; ist das männliche Gegenstück zur Kariatide. Der Name stammt vom Riesen Atlas, der nach dem Aufstand der Titanen von Jupiter dazu verurteilt wurde, die Erde auf seinen Schultern zu tragen. In Mesoamerika verbreiteten sich die "Atlanten", die generell als Krieger dargestellt wurden, vor allem im postklassischen Zeitalter.

Bannerstone: kleine Skulpturen aus Stein, die in der nordamerikanischen Prähistorie lange verwendet wurden. Man glaubt, dass es sich um Gewichte für allerlei Schleudern handelte, aber der hohe ästhetische Wert der Gegenstände lässt darauf schließen, dass sie auch eine symbolische Funktion hatten.

Bügelgriff: halbrunder, röhrenförmiger Griff mit einem vertikalen Ausguss, normalerweise auf Flaschen für Flüssigkeiten. Der Griff ist also Teil der Flasche, da die Flüssigkeit beim Ausgießen durch ihn hindurch fließt.

Chacmool: Skulptur einer geneigten, auf dem Rücken liegenden menschlichen Gestalt, auf dessen Bauch Opfer dargebracht wurden. Ursprünglich aus dem nördlichen Mesoamerika, verbreitete sie sich in allen Kulturen des postklassischen Mesoamerika (1250-1521n. Chr.).

Cihuateotl: ist der Name, den die Azteken den Frauen gaben, die bei der Geburt ihres ersten Kindes starben und vergöttert wurden. Ihre Aufgabe war es, die Sonne während ihrer Nachtreise zu begleiten.

Coyolxauhqui: aztekische Mondgöttin; Schwester vom Sonnen- und Kriegsgott Huichilopochtli, die von diesem getötet und zerstückelt wurde.

Cuauhxicalli: "Adlerkürbis-Schüssel", Steingefäß, das oftmals die Form eines Adlers hatte und in welches das Herz der Opfer gelegt wurde.

Duho oder Dujo: hölzerner Sitz in der Form eines anthropomorphen Wesens, der von den Taino Häuptlingen der Antillen verwendet wurde. Wahrscheinlich stellten diese Wesen Zemí oder göttliche Vorfahren dar. Auch Christoph Columbus beobachtete die Verwendung der *Duhos.*

Exzentriker: steinerner Gegenstand, vor allem im Gebiet der Maya: sein Name stammt von der eigenartigen Form, manchmal an die Darstellung von Herrschern und Gottheiten gebunden. Ihre Funktion ist noch nicht vollends geklärt; einige glauben, es handle sich um Machtinsignien.

Glimmer: Mineral aus der Gruppe der Schichtsilikate; zeichnet sich wegen seiner Transparenz und der Tendenz aus, dünne, leicht voneinander lösbare Schichten zu bilden. Im alten Amerika wurden sie verschieden geschnitten und zur Auslegung ganzer Böden verwendet.

Hacha: steinernes, flaches Element, dessen Name von der Ähnlichkeit mit Steinäxten herrührt. Gemeinsam mit *Palma* und *Yugo* ist es einer der Gegenstände, die zum *Pelota* Spiel gehören. Es könnte sich um die Darstellung von Gegenständen für Menschenopfer handeln, die an dieses Spiel gebunden sind.

Kamele: vier Säugetiere aus den Anden gehören zur Familie der Camelidae: Lama (*Lama glama*), Guanako (*Lama guanicoe*), Vikunja (*Vicugna vicugna*) und Alpaka (*Vicugna pacos*). Diese wurden im Altertum wegen ihres Fleisches und der Wolle gehalten. Nur Alpaka und Lama wurden domestiziert; das Lama war oft auch ein Lasttier.

Kero: Name eines konischen Trinkbechers aus Keramik oder Holz, der in den Anden zum Trinken von Chicha verwendet wurde. Oft waren die *Keros* in identischen Paaren gefertigt und für Trinkgelage mit starker religiöser und politischer Bedeutung gedacht. In der frühen Kolonialzeit gab es viele *Keros* aus bunt bemaltem Holz.

Köpfender Gott: wichtigste Gottheit der Moche Kultur; seinem Kult war wahrscheinlich das umfassende Opferritual gewidmet, in dessen Mittelpunkt die Gefangennahme und Opferung der Kriegsgefangenen stand. Zahlreiche bunte Basreliefs der Gottheit hat man im Tempelkomplex Huaca de la Luna gefunden.

Negativmalerei: Maltechnik, bei der die äußeren Bereiche des Dekorationsmotivs mit dunkler Farbe gemalt werden, um auf dunklem Hintergrund hervorzustechen. Das Motiv wird mit Wachs oder Harz überzogen, um es vor der dunklen Farbe zu schützen.

Palma: längliches und schmales Steinelement, das manchmal an seinen Enden breiter wird.Neben *Hacha* und *Yugo* gehört es zum *Pelota* Spiel. Es könnte sich um einen Talisman zum Schutze der Spieler handeln.

Quetzalcóatl: die Figur der gefiederten Schlange (Quetzalcóatl) taucht seit der Teotihuacana Epoche auf und gelangt über die Tolteken zu den Azteken, die in ihr eher eine Gottheit als ein mythisches

Wesens sehen. Gott Quetzalcóatl erschafft den Menschen und schenkt ihm den von den Göttern gestohlenen Mais. Er kann das Aussehen der Venus annehmen, des Morgensterns, und kann sich mit anderen Göttern verbinden, wie im Fall von Ejécatl, dem Windgott. Das mythische Wesen ist Ce Acatl Topilzin Quetzalcóatl, Herrscher von Tollan, dem Archetyp der mesoamerikanischen Stadt.

Quipu: Bündel geknoteter Schnüre, die in den Anden buchhalterische Verwendung fand; dieses numerische System basiert auf dem Dezimalsystem. Viele koloniale Quellen stimmen darin überein, dass die *Quipu* auch zur Registrierung historisch-genealogischer Erzählungen verwendet wurden, doch es ist bis heute unmöglich gewesen, irgendein numerisches Quiqu zu entziffern.

Steggriff: gebogener Griff, normalerweise mit elliptischem Querschnitt, der zwei bauchige Gefäße einer "Doppelflasche" verbindet, wie an der Nordküste Perus üblich.

Tembladera: Chavín ähnlicher Keramikstil, typisch für das gleichnamige peruanisches Tal.

Tezcatlipoca: Tezcatlipoca (rauchender Spiegel) ist der Antagonist Quetzalcoatls, als mythische Figur und auch als Gottheit. Er ist der Schöpfer einer der vier "Weltgegenden", die der laufenden des Fünften Gottes vorangehen. Er nimmt verschiedene Formen an, ist aber dem Krieg und den Kräften der Nacht assoziiert. Oft hat er statt eines Fußes eine Schlange. Er symbolisiert auch den Spiegel, in dem man das menschliche Schicksal erblicken kann, Symbol der Möglichkeit, die Kräfte der Schöpfung und Zerstörung zu kontrollieren.

Tlaloc: aztekische Gottheit des Wassers und des Regens.

Trigonolit: Steinskulptur der Taíno, die Yúcahu darstellt, den Geist der Manioca; in den Feldern begraben, steigert er die Fruchtbarkeit.

Tumbaga: Kupfer-Gold Legierung, die vor den Spaniern in den Anden reichlich verwendet Wurde: circa 10 % Gold und 90 % Kupfer. Geringe Variationen in der Menge der beiden Metalle erlaubten effektvolle chromatische Varianten. Manchmal wurden Säuren auf pflanzlicher Basis verwendet, um die Kupferoberfläche zu ätzen und so an der Oberfläche der Gegenstände nur das Gold sichtbar zu machen.

Tumi: typisches Messer mit einer Halbmondschneide in Gold, Kupfer, Bronze oder Silber, das in den Anden vor den Spanier verwendet wurde. Einige Tumi mit Griffen in der Form von Gottheiten wurden an der Nordküste Perus für Opferzeremonien verwendet.

Unku: Begriff aus der Quechua Sprache für die typische männliche Tunika in den Anden. Sie besteht aus einem Stück Stoff aus Baum- oder Kamelwolle und weist eine zentralen Öffnung für den Kopf auf. Die Seiten sind vernäht und haben zwei Armöffnungen. Die *Unku* mit komplizierten geometrischen Mustern gehörten zu den wertvollsten Gegenständen der Anden, vor den Spaniern und in der ersten Kolonialzeit.

Urne: für die Zapoteken Kultur typische Vasen aus Keramik, die oft in den Gräbern zu finden waren. Ihre Funktion ist noch unbekannt, wahrscheinlich handelte es sich nicht um Urnen im Sinne des Wortes, sondern um rituelle Gegenstände, die Opfergaben enthielten.

Wachsausschmelzverfahren: auch "Verfahren mit verlorener Form". Schmelzverfahren, das ein Modell aus Lehm vorsieht, welches mit einer Wachsschicht überzogen ist, das die Form des gewünschten Gegenstandes hat. Diese wiederum wird mit einer weiteren Lehmschicht bedeckt, jedoch mit Zuflüssen, die das Eingießen von flüssigem Metall ermöglichen: das Wachs schmilzt, die Zwischenschicht zwischen den Lehmschichten füllt sich und nimmt die Form des Wachsmodells an. Dieses System wurde oft und in weiten Teilen Amerikas für Gold und für Kupfergold-Legierungen verwendet und war eine der grundlegenden Techniken der Goldschmiedekunst Mittelamerikas und der nördlichen Anden.

Xipe Totec: aztekischer Gott des Frühlings und der Erneuerung; er wurde mit der Haut der Geopferten dargestellt.

Xiuhmolpilli: Schilfbündel, das ein "Jahrhundert" oder den kompletten Zyklus des aztekischen Kalenders darstellt, der 52 Jahren entspricht.

Yugo: ein Gegenstand aus Stein, der einen Talisman für die mesoamerikanischen *Pelota* Spieler darstellt. Da zu schwer, um verwendet zu werden, ist es möglich, dass diese Objekte reine zeremonielle Funktion hatten. Viele von ihnen wurden gemeinsam mit den *Hachas* und *Palmas* am Golf von Mexiko gefunden.

Zemi: Begriff der Taíno Sprache für eine umfangreiche Kategorie von Göttern, Geistern und vergöttlichten Ahnen; ihre künstlerischen Darstellungen in der Form kleiner Götzen war normalerweise aus Holz, Stein oder Knochen.

Glossaire

Aérophone, bouteille : type de bouteille répandu dans tout le monde andin, et réalisé afin qu'en versant le liquide, l'air qui entrait dans la bouteille déclenchât une sorte de petit sifflet, obtenant du même coup un effet musical qui accompagnait le versement du liquide.

Almena : pierre décorée disposée sur les toits des édifices, à la manière des antéfixes étrusques.

Anse en pont : anse incurvée, de section généralement elliptique, qui réunit les deux corps globulaires de bouteilles « doubles » — céramiques courantes sur les côtes septentrionales du Pérou.

Anse en étrier : anse en demi-cercle, de section tubulaire, sur laquelle est implanté un bec verseur vertical. L'anse creuse constitue ainsi une partie de la bouteille qu'elle surmonte, mais aussi du bec verseur qui en permet l'usage.

Aryballe : grand vase à liquides d'époque incaïque, destiné à contenir de l'eau ou de la *chicha* (boisson fermentée obtenue à partir de la macération du maïs). Deux petites anses latérales et une protubérance sur la panse permettaient de transporter ce type de vase à l'aide d'une lanière frontale. Il doit son nom à une ressemblance — purement formelle — avec un type de vase grec (de taille infiniment plus petite).

Atlante : statue masculine utilisée en architecture pour une fonction de soutien ; c'est le pendant masculin de la caryatide. Le nom dérive du génitif du nom grec du Titan « Atlas » : ayant participé à la révolte de ses frères contre l'ordre des dieux, Atlas fut condamné par Zeus à porter le monde sur ses épaules. En Méso-Amérique, l'usage des « atlantes » — qui représentent le plus souvent des guerriers — se diffuse surtout au cours de la période Post-classique.

Bannerstones : petites sculptures réalisées dans différents types de pierre et utilisées pendant une longue période de la préhistoire nord-américaine. On pense qu'il s'agissait de contrepoids pour améliorer l'efficacité des propulseurs de sagaies — mais la grande qualité esthétique de ces objets laisse supposer qu'ils pouvaient avoir aussi une fonction de type emblématique ou symbolique.

Camélidés : quatre mammifères quadrupèdes andins appartiennent à la famille des camélidés : le lama (*Lama glama*), le guanaco (*Lama guanicœ*), la vigogne (*Vicugna vicugna*) et l'alpaca (*Vicugna pacos*). Les indigènes les exploitaient pour leur laine et pour leur viande. Seuls l'alpaca et le lama ont été domestiqués. Ce dernier était également utilisé comme animal de bât.

Chac-mool : ce type de sculpture représente un personnage allongé sur le dos et redressé sur ses reins. On dépose sur son ventre des offrandes — souvent sanglantes — pour les dieux. Elle a son origine en Méso-Amérique d'où elle se diffuse parmi les cultures du Post-classique méso-américain (1250-1521).

Cihuateotl : nom que les Aztèques donnaient aux esprits des femmes mortes en couches et « divinisées ». Leur tâche était d'accompagner le soleil pendant son parcours nocturne.

Cire perdue, fonte à la : méthode de fonte qui consiste à modeler l'objet en cire autour d'un noyau d'argile réfractaire, puis à recouvrir le tout d'une deuxième couche d'argile réfractaire qui se modèle à son tour sur la cire — tout en ménageant des évents et des trous de coulée. On verse ensuite le métal en fusion qui fait fondre la cire modelée en forme et prend sa place, entre les deux couches d'argile. Une fois l'ensemble refroidi, il ne reste plus qu'à se débarrasser de l'argile pour obtenir l'objet de métal désiré. Cette méthode de fonte a été largement utilisée dans une grande partie des Amériques pour obtenir des objets en or ou en alliage d'or et de cuivre (voir l'entrée *tumbaga*). Cette technique fondamentale est à l'origine des grandes orfèvreries de l'Amérique centrale et des Andes septentrionales.

Coyolxauhqui : déesse aztèque de la Lune, sœur — et ennemie — de Huitzilopochtli, dieu du Soleil et de la Guerre, qui la tue et la met en pièces.

Cuauhxicalli : ce « vase de l'aigle » était le récipient où l'on déposait le cœur arraché aux victimes sacrifiées et qui revêtait souvent la forme d'un aigle.

Dieu décapiteur : divinité principale de la culture Mochica (ou Moche), à qui était probablement dédié le rite sacrificiel complexe axé sur la capture et le sacrifice des prisonniers de guerre. De nombreux bas-reliefs polychromes de cette divinité ont été exhumés dans le complexe cultuel de la Huaca de la Luna.

Duho (parfois dujo) : siège en bois sculpté, en forme d'être fantastique à la fois anthropomorphe et zoomorphe, utilisé par les chefs taïnos des Antilles. Il est probable que les créatures figurées représentent des *zemi*, ou ancêtres divinisés. L'usage des *duhos* a été observé aussi par Christophe Colomb.

Excentrique : artefact lithique diffusé surtout dans la zone de civilisation maya. L'objet tire son nom de sa forme bizarre, parfois rapprochée de la représentation de certains gouvernants ou de certaines divinités. La fonction précise de ces objets n'a pas encore été établie avec certitude ; quelques archéologues considèrent qu'il s'agit d'emblèmes de pouvoir.

Hacha : artefact lithique presque plat et qui tire son nom de sa ressemblance avec une hache de pierre. Avec la *palma* et le *yugo*, la *hacha* fait partie d'un ensemble d'objets liés au jeu de balle (ou de pelote, *tlachtli*). Il pourrait s'agir de la représentation des instruments rituels utilisés pour les sacrifices humains liés à ce jeu.

Kéro : nom sous lequel les archéologues désignent un gobelet tronconique, en céramique ou en bois, utilisé dans le monde andin pour boire la *chicha*. Les *kéros* étaient souvent façonnés par paires de vases identiques, destinées à des libations chargées de valeur politico-religieuse. La première époque coloniale connut une énorme production de *kéros* en bois, décorés de peintures polychromes.

Mica : minéral du groupe des silicates (ici, d'aluminium et de potassium), qui se caractérise par sa translucidité et ses plans de clivage permettant d'obtenir de fines lames assez facilement détachables. Dans l'ancienne Amérique, on en tirait diverses formes et on l'utilisait aussi pour revêtir des pavements entiers.

Palma : artefact lithique long et étroit, parfois élargi aux extrémités. Avec la *hacha* et le *yugo*, la *palma* fait partie d'un ensemble d'objets liés au jeu de pelote (*tlachtli*). Il pourrait s'agir de la représentation rituelle d'une protection utilisée par les joueurs.

Peinture en négatif : technique picturale qui consiste à peindre en couleur sombre les surfaces extérieures au motif décoratif que l'on veut obtenir, afin que celui-ci ressorte mieux sur le fond. Le motif décoratif est souvent recouvert de cire ou de résine à cet effet, pour le protéger pendant l'application du fond sombre.

Quetzalcóatl : la figure du « Serpent-à-plumes » [*Quetzalcóatl*] apparaît depuis l'époque de Teotihuacan et les Toltèques la transmettent aux Aztèques pour qui elle représente plus une divinité qu'un être mythique. En tant que divinité, Quetzalcóatl crée l'Homme et lui donne le maïs, volé aux dieux. Il peut revêtir les aspects de Vénus comme étoile du matin, et se confonde aussi avec d'autres divinités comme Ejécatl, le dieu du Vent. Être mythique, il est Ce Acatl Topilzin Quetzalcóatl, gouverneur de Tollán, archétype de la cité méso-américaine.

Quipu : masses de cordelettes nouées, utilisées dans le monde andin comme moyens d'enregistrement comptable fondé sur un système numérique à base décimale. De nombreuses sources coloniales s'accordent sur le fait que les *quipus* ont été utilisés aussi pour enregistrer des récits de type historique et généalogique, mais on n'a pas encore pu décrypter un *quipu* de type non numérique.`

Tembladera : style de céramique « chavinoïde », typique de la vallée péruvienne homonyme.

Tezcatlipoca : « Miroir-fumant » est l'ennemi de Quetzalcóatl, aussi bien comme figure mythique que comme divinité. C'est l'un des dieux qui ont créé les quatre « ères » précédant la nôtre (dite du « Cinquième Soleil »). Il peut se charger de diverses fonctions, mais il est généralement associé à la guerre et aux forces nocturnes. Il est fréquemment représenté avec un serpent à la place d'un de ses pieds. L'autre emblème lié à sa personne est le miroir

dans lequel il peut observer le destin des hommes, symbole de sa capacité à contrôler les forces de la création et de la destruction.

Tlaloc : divinité aztèque de l'Eau et de la Pluie.

Trigonolithe : sculpture taïno en pierre représentant Yúcahu, l'esprit du manioc, et généralement enfouie dans le champ pour en accroître le rendement.

Tumbaga : alliage de cuivre et d'or, très largement utilisé dans la métallurgie andine pré-hispanique et généralement constitué de 10% d'or et 90% de cuivre. De petites variations dans les proportions permettaient d'obtenir des effets de couleur variés. On employait parfois des acides d'origine végétale pour corroder le cuivre et faire apparaître l'or en surface.

Tumi : couteau rituel à lame d'or, de cuivre, de bronze ou d'argent, en demi-lune, utilisé dans le monde andin pré-hispanique. Certains *tumis* cérémoniels de la côte nord du Pérou, utilisés dans les sacrifices, présentent des manches figurés très élaborés, avec des représentations de divinité.

Unku : mot de la langue quichua, désignant la tunique masculine typique du monde andin. Faite en coton ou en laine de camélidé, c'est une pièce de tissu simple avec un trou au centre pour passer la tête. Les côtés sont cousus, en laissant deux espaces libres pour les bras. Les *unkus* à décors géométriques complexes étaient les objets les plus prestigieux du monde andin, aussi bien avant les Espagnols que pendant la première époque coloniale.

Urne : nom attribué à des vases de céramique typiques de la culture zapotèque et souvent présents dans les tombes. Leur fonction n'a pas encore été déterminée : il ne s'agissait sans doute pas d'urnes funéraires à proprement parler, mais d'objets rituels contenant des offrandes.

Xipe Totec : dieu aztèque du Printemps et de la régénération. On le représente vêtu de la peau des hommes sacrifiés.

Xiuhmolpilli : botte de roseaux qui représente un « siècle » c'est-à-dire un cycle complet du calendrier aztèque, correspondant à une durée de cinquante-deux ans.

Yugo : appellation archéologique utilisée pour désigner un objet de pierre représentant une des protections revêtues par les joueurs de pelote méso-américaine (*tlachtli*). Trop lourd pour être réellement utilisé, cet objet a une valeur rituelle. On a exhumé une grande quantité de ces objets — associés aux *hachas* et aux *palmas*, du jeu de balle (*tlachtli*) — dans la région du golfe du Mexique.

Zemi : ce terme générique de la langue taïno, désignait une vaste catégorie de dieux, d'esprits et d'ancêtres divinisés mais aussi leurs représentations artistiques sous la forme de petites idoles habituellement façonnées en bois.

Verklarende woordenlijst

Aerofoon-fles: flessen uit de Andeswereld, zodanig verwezenlijkt dat, wanneer de inhoud ervan wordt gegoten, de lucht die in de fles komt een soort van fluitje in werking stelt, waardoor tijdens het schenken een muzikaal effect wordt verkregen.

Almena (Borstwering): dakdecoratie op het bovengedeelte van gebouwen, soortgelijk aan de Etruskische antefixen.

Aryballos: grote vaas voor vloeistoffen uit het Inca tijdperk, voor het bewaren van water of chicha (drank verkregen uit de fermentatie van maïs). Twee kleine laterale handvatten en een protuberantie op de buik, maakten het mogelijk de vaas te vervoeren, door gebruik te maken van een draagband om het voorhoofd. De naam is om formele redenen gelijk aan de typologie voor een Griekse vaas.

Atlant: mannelijk equivalent van de kariatide, met ondersteuningsfunctie. De naam is afgeleid van de gigant Atlas die, nadat hij had deelgenomen aan de opstand van de Titanen, door Zeus werd veroordeeld tot het ondersteunen van de wereld op zijn schouders. In Meso-Amerika werd het gebruik van de zogeheten "Atlanten", die gewoonlijk krijgers voorstellen, vooral in de post-klassieke periode verspreid.

Bannerstone: kleine beeldhouwwerken van verschillende soorten steen, voor een lange periode gebruikt in prehistorisch Noord-Amerika. Er wordt aangenomen dat het gaat om gewichten, toe te passen op speerwerpers, maar door de grote esthetische kwaliteit van de voorwerpen kan er ook worden verondersteld dat het een emblematische of symbolische functie had.

Brug-hengsel: gebogen hengsel, normaliter ellipsvormig, die de twee bolvormige buiken van de "dubbele" flessen met elkaar verbindt, typerend voor de noord-kust van Peru.

Cameliden: zoogdieren uit de Andes behorend tot de cameliden familie: lama (*Lama glama*), guanaco (*Lama guanicoe*), vicuña (*Vicugna vicugna*) en alpaca (*Vicugna pacos*). In de oudheid gebruikt voor hun vlees en hun wol. Alleen de alpaca en de lama werden getemd en de lama werd wijdverbreid gebruikt als lastdier.

Chac mool: beeldhouwwerken in de vorm van een op de rug steunend, liggend individu, op wiens buik offers voor de goden werden geplaatst. Vindt zijn oorsprong in het noordelijke gedeelte van Meso-Amerika, van waaruit het zich verspreidde over de post-klassieke meso-Amerikaanse cultuur (1250-1521 n.Chr.).

Cihuateotl: Azteekse naam voor vrouwen die stierven tijdens de eerste bevalling en werden vergoddelijkt. Het is hun taak om de zon te begeleiden tijdens zijn nachtelijke reis.

Coyolxauhqui: Azteekse maangodin, zus van Huichilopochtli, god van de zon en de oorlog, die door hem werd vermoord en in stukken werd gesneden.

Cuauhxicalli: "vaas van de adelaar", stenen vat waarin het hart van de geofferde werd geplaatst en vaak de vorm van een adelaar had.

Driepuntige steen: stenen Taíno beeldhouwwerk, dat Yúcahu, de geest van de maniok, weergeeft. Normaliter begraven in de velden om de productiviteit te vergroten.

Duho of Dujo: uitgesneden houten zetel in de vorm van een antropo-zoömorfisch wezen, gebruikt door de Taíno hoofdmannen van de Antillen. Waarschijnlijk vertegenwoordigen de afgebeelde wezens zemí of de vergoddelijkte voorouders. Het gebruik van de *duhos* werd ook door Christoffel Columbus opgemerkt.

Excentriek: lithisch voorwerp vooral verspreid in het Maya-gebied. Vernoemd naar zijn eigenaardige vorm, soms gezien als voorstellingen van bestuurders of godheden. De functie van deze objecten is nog niet bekend;enkele deskundigen veronderstellen dat het gaat om machtssymbolen.

God van de onthoofding: belangrijkste godheid van de Moche-cultuur aan wiens cultus waarschijnlijk het ingewikkelde ritueel van het offeren van gevangenen en krijgsgevangenen werd toegewijd. In het tempelcomplex van Huaca de la Luna zijn talrijke polychrome bas-reliëfs van de godheid teruggevonden.

Hacha: vrijwel plat lithisch element, vernoemd naar de gelijkenis met de stenen bijl. Samen met de *palma* en de *yugo* onderdeel van een aantal voorwerpen verbonden aan het *pelota* spel. Mogelijk betreft het de weergave van instrumenten die werden gebruikt voor het offeren van mensen bij dit spel.

Kero: naam waarmee een afgestompte beker van hout of keramiek wordt geïndiceerd, in de Andeswereld gebruikt voor het drinken van chicha. De *keros* werden vaak gemaakt als identieke set van twee, bedoeld voor heildronken bij beladen politiek-religieuze aangelegenheden. In het eerste koloniale tijdperk was er een wijdverbreide productie van polychroom beschilderde houten *keros*.

Mica: mineraal dat behoort tot de fylosilicaten en zich kenmerkt door de helderheid en de mogelijkheid om er gemakkelijk één voor één van elkaar af te halen dunne platen van te vormen. In het oude Amerika werd het in verschillende vormen gesneden en gebruikt om hele straten mee te plaveien.

Negatief schilderen: schildertechniek die bestaat uit het met donkere kleuren schilderen van decoratieve motieven aan de buitenkant, zodanig dat deze weer opdoemen op een donkere achtergrond. Het motief werd vaak bedekt met was of hars, om de donkere kleuren tijdens het optekenen te beschermen.

Palma: lang, smal lithisch element, dat soms extreem werd vergroot. Samen met de hacha en de yugo onderdeel van een aantal voorwerpen verbonden aan het pelota spel. Vertegenwoordigde mogelijk een door de spelers gebruikt beschermingsmiddel.

Quetzalcóatl: de beeltenis van de Gevederde Slang (Quetzalcóatl) verschijnt vanaf het Teotihuacaanse tijdperk en werd via de Tolteken opgenomen door de Azteken, die het meer als een godheid dan als een mythisch wezen beschouwen. Als godheid schept Quetzalcóatl de mens en schenkt hen de van de goden gestolen maïs. Werd soms afgebeeld als Venus als ochtendster en zou kunnen versmelten met andere godheden, zoals bijv. Ehecatl, god van de wind. Was als mythisch wezen Ce Acatl Topilzin Quetzalcóatl, heerser van Tollan, archetype voor de Meso-Amerikaanse stad.

Quipu: een aantal geknoopte koorden, in de Andes-wereld gebruikt als rekenmiddel, gebaseerd op een numeriek systeem op basis van decimalen. Hoewel talloze koloniale bronnen het er over eens zijn dat de quipi ook werden gebruikt om historische-genealogische verhalen vast te leggen, is het vandaag de dag niet mogelijk om de *quipi* als niet-numeriek te ontcijferen.

Staaf-hengsel: buisvormige hengsel in halfronde vorm waarop een verticale schenktuit uitsteekt, normaliter geplaatst boven op de flessen voor het bewaren van vloeistoffen. De hengsel is onderdeel van de fles, daar de vloeistof er in stroomt, op het moment dat er wordt geschonken.

Tembladera: keramiekstijl van de chavin-cultuur typerend voor de gelijknamige Peruaanse vallei.

Tezcatlipoca: Tezcatlipoca (Rokende Spiegel), tegenstander van Quetzalcoatl, zowel als mythisch figuur, als in de hoedanigheid van godheid. Is één van de goden die de vier "Wereldtijdperken", voorafgaand aan de Vijfde Zon, creëerde. Kan verschillende vormen aannemen, maar wordt over het algemeen geassocieerd met oorlog en de nachtelijke machten. Vaak afgebeeld met een slang in plaats van een voet. Ander aan hem verbonden symbool is de spiegel, waarin hij de lotsbestemming van de mens ziet en staat voor het vermogen de macht van de creatie en de verwoesting te beheren.

Tlaloc: Azteekse godheid van water en regen.

Tumbaga: legering van koper en goud, rijkelijk gebruikt in de prehispanische Andes-metallurgie, normaliter bestaande uit 10% goud en 90% koper. Kleine variaties in de hoeveelheid van de twee metalen zorgden voor verschillende chromatische effecten. Soms werden plantaardige zuren gebruikt voor het corroderen van het oppervlakkige koper, zodat alleen het goud zichtbaar was op de oppervlakten van de voorwerpen.

Tumi: messoort met lemmet in halvemaan vorm, van goud, brons of zilver, gebruikt in de prehispanische Andes-wereld. Een aantal ceremoniële tumi afkomstig van de noord-kust van Peru, werden gebruikt voor het offeren en hebben ingewikkelde heften, met weergaves in de vorm van godheden.

Unku: term in de Quechua-taal, waarmee het typische Andes-mannentuniek van camelidenwol of katoen wordt aangeduid, bestaande uit een weefsel uit één stuk met in het midden een opening voor het hoofd. De zijkanten werden dichtgenaaid, twee ruimtes open latend voor de armen. De *unku* met ingewikkelde geometrische decoraties waren de kostbaarste voorwerpen in de Andes-wereld, zowel in het prehispanische tijdperk, als in het eerste koloniale tijdperk.

Urn: vaak in tombes aanwezige keramieke vazen, Typerend voor de Zapoteken. Hun functie is nog niet bekend; waarschijnlijk waren het geen echte urnen, maar rituele voorwerpen die offers bevatten.

Verloren-was-gieten: gietmethode met behulp van een kleivorm bedekt met was, gemodelleerd in de gewenste voorwerp. Werd vervolgens bedekt met een kleilaag, de holtes vrij latend, die het mogelijk maakten het gesmolten metaal erin te gieten, wat de was liet oplossen en de uitsparingen tussen de twee kleilagen vulde, de vorm van was zo aannemend. Wijdverbreid toegepast in grote delen van Amerika voor het gieten van goud of legeringen en werd één van de belangrijkste edelsmeedkunsten van Centraal-Amerika en de Noord-Andes.

Xipe Totec: Azteekse godheid van de lente en de wedergeboorte. Weergegeven in de huiden van de geofferden.

Xiuhmolpilli ("gebundelde jaren"): bundel van stokken die een "eeuw" of een complete cyclus, van tweeënvijftig jaren, van de Azteekse kalender vertegenwoordigen.

Yugo: stenen voorwerp, dat door de Meso-Amerikaanse *pelota* spelers als bescherming werd gebruikt. Te zwaar om daadwerkelijk te dragen, waardoor het mogelijk is dat deze voorwerpen een rituele functie hadden. Een grote hoeveelheid van deze voorwerpen werden samen met de zogenoemde *hachas* en *palmas* teruggevonden in het gebied van de Golf van Mexico.

Zemí: Taíno term voor brede categorie van goden, geesten en vergoddelijkte voorvaderen en hun artistieke weergave in de vorm van kleine idolen gewoonlijk van hout, steen of been.

CLEVELAND
Museum of Art

QUEBEC
Canadian Museum of Civilization

NEW YORK
Metropolitan Museum of Art;
American Museum of Natural History

CHICAGO
The Field
Museum

DALLAS
Museum of Art

DENVER
Denver Art Museum

CAMBRIDGE
Peabody Museum Harvard Universit

WASHINGTON D
National Museum
Natural Hist
National Museum of
American Ind

PHILADELPHIA
University of Pennsylvanya - Museum of
Archaeology and Anthropology

FORT WORTH
Kimbell Art Museum

MERIDA
Museo Regional de Yucatán
"Palacio Cantón"

CIUDAD DE MÉXICO
Museo Nacional de Antropología
Historia Museo Templo Mayor

CAMPECHE
Museum of Maya Culture

BELIZE
Museum of Belize

SAN PEDRO SU
Museo de Arqueol
e Histo

COPÁN
Museo Regional de Antropología
Museo de la Escultura

MANAGUA
Museo Nacional
de Nicaragua Dioclesiano Chaves

OAXACA
Museo Regional Santo Domigo

JALAPA
Museo de Antropología

EL SALVADOR
Museo Nacional de Antropología "David Guzman"

Museums of Precolumbian Art
Museen Präkolumbianischer Kunst
Les musées d'art précolombien
Musea voor Precolombiaanse Kunst

SAN JOSÉ
Museo Nacional de Costarica
Museo del Jade Fidel Tristan Castro
Museo del Banco central de Costarica

PANAMA
Museo Antropologico
Reina Torres de Arauz

GUATEMALA
Museo Nacional de
Arqueología y Etnología

MERIDA
Museo Arqueológico Gonzalo Rincón Gutiérrez

BOGOTÀ
Museo Nacional de Colombia
Museo del Oro de Bogotà

QUITO
Museo Nacional del Banco Central del Ecuador

FERREÑAFE
Museo Nacional Sicán

LAMBAYEQUE
Museo Tumbas Reales del Señor de Sipan

LIMA
Museo Larco
Museo de la Nacion
Museo Nacional de Antropología,
Arqueología e Historia del Perú

LA PAZ
Museo Nacional de Arqueologia

RIO DE JANEIRO
Museu Nacional

SANTIAGO
Museo Chileno de Arte Precolombino

SÃO PAULO
Museu de Arquelogia e Etnografia

BUENOS AIRES
Museo Antropológico y
Etnográfico de Buenos Aires

© 2011 SCALA Group S.p.A.
62, via Chiantigiana
50012 Bagno a Ripoli
Florence (Italy)

Text and picture research: Alessandra Pecci, Davide Domenici

English translation: Johanna Kreiner
French translation: Denis-Armand Canal

Printed in China 2011

ISBN (English): 978-88-6637-064-2
ISBN (German): 978-88-6637-063-5
ISBN (Dutch): 978-88-6637-065-9

Created and distributed in cooperation with Frechmann Kolón GmbH
www.frechmann.com

Project Management: E-ducation.it S.p.A. Firenze

Appendix to image credits:
The Metropolitan Museum of Art, New York
Olmec culture, Human figure, stone, Mexico; Olmec, 1, 10th century B.C., 6th century B.C., 7th century B.C., 8th century B.C., 9th century B.C., ancient civilization, color, cut out, face, figural, Jadeite, man, mask, Mexican, mythology, negative space, Olmec, only men, people, primitive, sculpture, stone carving, vertical; Veracruz culture, Palm with the representation of a skull, Stone, pigment, Hx Wx D: 18 7/8x 7x 4 3/4 in. (47.9x 17.8x12.1 cm). The Michael C. Rockefeller Memorial Collection, Gift of Nelson A. Rockefeller, 1963. Acc.n.: 1978.412.16. Photograph by Schecter Lee; Tiwanaku culture, Censer with feline, Ceramic, 6. The Michael C. Rockefeller Memorial Collection, Gift of Nelson A. Rockefeller, 1969. Inv.1978.412.100; Maya culture, Double vase, Ceramic, H. 11 7/8 in. (30.2 cm).The Michael C. Rockefeller Memorial Collection, Gift of Nelson A. Rockefeller, 1963. Acc.n.: 1978.412.90a, b; Maya culture, Vase with engraved decoration, Ceramic, H. 6 3/4x Diam. 9 1/4 in. . Purchase, Fletcher Fund and Arthur M. Bullowa Bequest, 2000. Acc.n.: 2000.60; Maya culture, Cylinder vase, with scenes of life at the palace, with engraved decoration, Ceramic, H. 5 1/2 in. (14 cm).The Michael C. Rockefeller Memorial Collection, Purchase, Nelson A. Rockefeller Gift, 1968. Acc.n.: 1978.412.206; Chiriqui culture, Panama, Pendant in the form of twin warriors with bat faces, Gold (cast), Length 3 in.. Gift of Meredith Howland,

1904. Acc.n.: 04.34.8; Taino culture, Jamaica, Zemi (idol), Ironwood, shell, H. 26 31/32xW. 8 5/8xD. 9 1/8 in. (68.4x21.9x23.2 cm).The Michael C. Rockefeller Memorial Collection, Bequest of Nelson A. Rockefeller, 1979. Acc.n.: 1979.206.380; Taino culture, Dominican Republic, Three-Cornered Stone with Face, Limestone (fossiliferous), Height 6-3/4 in. (17.1 cm). Purchase, Oscar de la Renta Gift, 1997. Acc. n. 1997.35.2; Veraguas culture, Panama, Pectoral, Gold, Diameter 8-1/4 in. (21 cm). Bequest of Alice K. Bache, 1977. Acc.n.: 1977.187.28.; Taino culture, Lesser Antilles, La Dominique, Zemi (idol), Sandstone, 1500. The Michael C. Rockefeller Memorial Collection, Bequest of Nelson A. Rockefeller, 1979. Inv.1979.206.1209 ; Taino culture, Jamaica, Zemi (idol), Ironwood, shell, H. 26 31/32xW. 8 5/8xD. 9 1/8 in. (68.4x21.9x23.2 cm).The Michael C. Rockefeller Memorial Collection, Bequest of Nelson A. Rockefeller, 1979. Acc.n.: 1979.206.380; Chiriqui culture, Costa Rica, Pendant in the form of a frog, Gold (cast), 1600. Gift of the H.L. Bache Foundation, 1969. Inv.69.7.4; Pre-Columbian Panama, Pendant with two predatory birds, Cast gold, H. 4 3/8 in. (11.1 cm).The Michael C. Rockefeller Memorial Collection, Bequest of Nelson A. Rockefeller, 1979. Acc.n.: 1979.206.538; Pre-Columbian Panama, Pendant of an anthropomorphic-zoomorphic figure, Gold, Height 2-3/4 in. (6.99 cm). Gift and Bequest of Alice K. Bache, 1966, 1977. Acc.n. 66.196.35; Ilama culture, Colombia, Funeral Mask, Gold, H. 7 3/4xW. 9 5/8 in. (19.7x24.4 cm). Jan Mitchell and Sons Collection, Gift of Jan Mitchell, 1991. Acc.n. 1991.419.39; Yotoco culture, Colombia, Diadem with a human face, Gold, Height 10 in.. Jan Mitchell and Sons Collection, Gift of Jan Mitchell, 1991. Acc.n.: 1991.419.40. Photo by Justin Kerr; Tumaco-La Tolita culture, Colombia/Equador, Standing figure, Gold (hammered), H. 9 in. (22.9 cm).Jan Mitchell and Sons Collection, Gift of Jan Mitchell, 1995. Acc.n.: 1995.427; Tolima culture, Colombia, Pendant of an anthropomorphic-zoomorphic figure, Gold (cast), h.xw.: 7 1/8x4 3/8in. (18.1x11.1cm). The Michael C. Rockefeller Memorial Collection, Bequest of Nelson A. Rockefeller, 1979. Acc.n.1979.206.497; Tairona culture, Colombia, Pendant of an anthropomorphic-zoomorphic figure, Gold (cast); h. 5-1/4xw. 5 3/4 in. (13.3x16.6 cm). Jan Mitchell and Sons Collection, Gift of Jan Mitchell, 1991. Acc.n.1991.419.31 Photograph by Justin Kerr.; Muisca culture, Colombia, Tunjo (votive figure), Gold, Height 5-7/8 in.. Jan Mitchell and Sons Collection, Gift of Jan Mitchell, 1991. Acc.n. 1991.419.30. Photo by Justin Kerr.; Tumaco-La Tolita culture, Seated figure, Colombia or Ecuador; 1, 1st century, 1st century B.C., ancient civilization, bending, Ceramic, color, figural, Figure, Fragmentary, man, negative space, only men, partial, people, Precolumbian, primitive, sculpture, South American, square image, standing, statue, statuette, three-quarter length, Tolita; Cupisnique culture, Tembladera style, Perù, Bottle with jaguar heads, Ceramic, postfired paint, H. 12 3/8 in. (31.4 cm).The Michael C. Rockefeller Memorial Collection, Purchase, Nelson A. Rockefeller Gift, 1967. Acc.n.: 1978.412.203; Cupisnique culture, Tembladera style, Perù, Bottle in the form of a feline, Ceramic, HxWxD: 9 1/8x5 3/4x8 1/4in. (23.2x14.6x21cm). The Michael C. Rockefeller Memorial Collection, Purchase, Nelson A. Rockefeller Gift, 1968. Acc.n.: 1978.412.217.; Chavin culture, Perù, Pectoral with birds, Gold, H. 9xW. 9 1/4 in. Jan Mitchell and Sons Collection, Gift of Jan Mitchell, 1999. Acc.n. 1999.365; Nasca culture, Perù, Anthropomorphic drum, Ceramic, H. 17 3/4 in. (45.1 cm).The Michael C. Rockefeller Memorial Collection, Gift of Mr. and Mrs. Raymond Wielgus, 1964. Acc.n. 1978.412.111; Moche culture, Perù, Fragment of a diadem in the form of the decapitator deity, Silvered copper, shell, HxW: 3 3/4x3 15/16in. (9.5x10cm). Gift of Jane Costello Goldberg, from the Collection of Arnold I. Goldberg, 1980. Acc.n. 1980.563.18; Moche culture, Perù, Ornament in the form of a human face, Gilded copper, shell, HxW: 3 3/8x3 15/16in. (8.6x10cm). Gift of Jane Costello Goldberg, from the Collection of Arnold I. Goldberg, 1980. Acc.n. 1980.563.22; Moche culture, Perù, Earrings with images of supernatural runners-messengers, Hammered gold, turquoise, sodalite, shell, Diam. 3 3/16 in. (8 cm). Gift and Bequest of Alice K. Bache, 1966, 1977. Acc.n.: 66.196.40-.41; Moche culture, Perù, Circular ornament with the representation of a crab, Gilded copper; d. 7-3/8 in. (18.7 cm). Bequest of Jane Costello Goldberg, from the Collection of Arnold I. Goldberg, 1986. Acc.n.1987.394.46; Moche-Wari culture, Perù, Tunic with geometric decoration, Cotton, camelid hair, H. 34 1/4 in. (87 cm).Bequest of Jane Costello Goldberg, from the collection of Arnold I. Goldberg, 1986. Acc.n.: 1987.394.706; Wari culture, Perù, Wall hanging, Feathers, cotton, camelid hair, H. 27-1/4xW. 83 1/8 in.. The Michael C. Rockefeller Memorial Collection, Bequest of Nelson A. Rockefeller, 1979. Acc.n. 1979.206.470; Tiwanaku culture, Bolivia, Censer with feline, Ceramic, 6. The Michael C. Rockefeller Memorial Collection, Gift of Nelson A. Rockefeller, 1969. Inv.1978.412.100; Sicán culture, Perù, Kero (beaker) with a supernatural personale, Gold (hammered), Height 10-3/8 in.. The Michael C. Rockefeller Memorial Collection, Gift of Nelson A. Rockefeller, 1969. Inv. 1978.412.62; Sicán culture, Perù, Headdress or crown, Gold (hammered), Height 8-1/4 in. (20.96 cm). Gift and Bequest of Alice K. Bache, 1966, 1977. Acc.n. 66.196.13; Sicán culture, Perù, Couple of keros (ceremonial beakers), Gold, Each: H. 7-7/8 in.. Jan Mitchell and Sons Collection, Gift of Jan Mitchell, 1991 (1991.419.60-.61). Acc.n. 1991.419.60,1991.419.61; Sicán culture, Perù, Kero (beaker) with a supernatural personage, Gold (hammered), Height 5-1/4 in.. Jan Mitchell and Sons Collection, Gift of Jan Mitchell, 1991. Acc.n. 1991.419.63; Sicán culture, Perù, Tumi (ceremonial knife), Gold (hammered), turquoise, Height 13 in.. Jan Mitchell and Sons Collection, Gift of Jan Mitchell, 1991. Acc.n. 1991.419.58. Photo by Justin Kerr.; Sicán culture, Perù, Funeral Mask, Gold, copper overlays, cinnabar, H. 11 1/2 in. (29.2 cm). Gift and Bequest of Alice K. Bache, 1974, 1977. Acc.n.: 1974.271.35; Chimú culture, Perù, Bottle with stirrup handle, in the form of an enthroned personage on a platform, Silver (hammered), HxWxD: 9 1/4x4 3/8x6 1/2 in. (23.5x11.1x16.5 cm). The Michael C. Rockefeller Memorial Collection, Gift of Nelson A. Rockefeller, 1969. Acc.n. 1978.412.170; Chimú culture, Perù, Vase in the form of an owl, Silver, HxWxD: 6 1/2x3x6 in. (16.5x7.6x15.2 cm). The Michael C. Rockefeller Memorial Collection, Gift of Nelson A. Rockefeller, 1969. Acc.n. 1978.412.161.; Chimú culture, Perù, Disk, Silver, H.12 1/2xW. 13 5/8x D. 3/8 in. (31.8x34.7x1 cm). The Michael C. Rockefeller Memorial Collection, Gift of Nelson A. Rockefeller, 1969. Acc.n.: 1978.412.144.; Chuquibamba culture, Perù, Woman's mantle, Camelid hair, H. 51 1/2 in. (130.8 cm). Purchase, Pfeiffer Fund and Arthur M. Bullowa Bequest, 1995. Acc.n.: 1995.109.